# 파푸스

민들레 깃털처럼 삶의 여정에서
하나님의 말씀을 전하는 한 의사의 영성 에세이

이상무  글
이가은  그림

# 이상무

1960년 서울에서 태어났다. 문인의 집안에 태어나 국문학을 전공하신 부친과 중학생 시절 담임이셨던 국어선생님의 영향을 받아 글쓰는 이가 되고 싶었다. 하지만 집안의 필요로 의학을 전공하여 17년 동안 임상의사로 살며, 삶과 죽음의 경계선에 선 많은 이들과 함께 했다. 이후 22년간 보건의료분야의 공적 영역에서 다양한 활동을 해오며 삶의 여정에서 참된 것을 갈구하는 삶을 살아왔다. 인생의 굴곡에서 느끼고 찾아온 보석들을 글로 소통하고자 2020년부터 브런치에서 작가로 활동하고 있다.

# 서문

다 큰 어른이 돼서도 들에 민들레 씨를 보면 꺾어서 입으로 힘껏 후-하고 불어 보고 싶어진다. 그렇게 힘껏 불면 씨앗들은 깃털들에 의해 바람에 날려 저만큼 멀리 날아가 떨어지고, 바람 부는 날이면 한동안 더 공중에 떠다니며 우리 마음을 더욱 설레게 만든다. 우리 부부는 손주 벌 되는 어린아이들과 자주 산책하러 나가곤 하는데, 이 민들레 씨앗은 아이들과 쉽게 친해질 수 있는 놀이기구 역할을 해준다. 꽃이 지고 깃털이 촘촘하게 박힌 민들레를 들고 어른이나 아이 할 것 없이 후후하고 불다 보면 얼굴 가득 함박웃음을 띠고 마냥 즐거워하게 된다.

민들레꽃에는 이백여 개의 씨가 맺히게 되고 한 개의 씨는 씨앗, 줄기, 깃털(pappus)로 되어 있는데, 이 깃털은 백여 개의 솜털들로 구성되어 있다고 한다. 공기 역학적으로 솜털 위로 작은 공기 소용돌이가 형성되어 이 씨앗이 잠시 공중 부유의 시간을 갖게 된다고 하는데 파푸스는 이 씨앗을 날아오르게 하여 수 미터에서 수십 킬로미터까지 다다르게 하여 먼 곳에 씨가 떨어지도록 돕는다.

나의 글은 파푸스가 되어 하나님 말씀의 씨를 나른다. 그런 의도를 갖고 나는 글을 쓰고 있다. 나의 일상 삶의 현장에서 내 안에 역사 되고 운행되어 온 하나님의 말씀들, 나를 살리고 비추고 이끌어 온 살아 있는 말씀들이 다른 이들의 마음에도 떨어져 그들에게 희망과 소망과 참된 삶의 의미를 깨닫게 해주고, 우주의 참된 실재를 맛보고 누리게 해주게 된다면 나는 글을 잘 쓴 것이다.

> 여러분이 거듭나게 된 것은 썩어 없어질 씨로 된 것이 아니라 썩지 않을 씨, 곧 살아 있고 항상 있는 하나님의 말씀으로 된 것입니다. 베드로전서 1:23

# 목차 제목

# IV. 온종일 나의 손을 내밀었다

# V. 너 자신처럼

# I.

## 어두운 곳을 비추는 등불

# 1. 자작나무 숲속에서


안개가 끼거나 살짝 비가 오는 것으로
내게
그 길은 항상 시작된다.

수많은 사람들이 다니며
다듬어지고 닦여졌을
산허리에 두른 길,

판타지를 향한 마지막 좁은 산길 트레킹은
도시의 무게를 숨겹게 토해 내치게 하고,
구름이 열어준 햇살은 붉은 등, 주황 등, 아직 가을이 밀어내지
못한 초록 등을 비추어 내고

왜 왔나 싶을 그때
자작나무 숲은 그 화사한 황금빛 옷자락을 펼쳐내곤,
하이얀 자작나무 속살이 다 드러나도 부끄럽지 않은
순수여!

작은 개울 연못가엔
어디선가 하얀 토끼가 튀어나와
엘리스를 부를 듯한데,

아내가 타준 따뜻한 커피 한잔에
그 아스라한 동화의 이야기가 저 멀리 도망가고 있다.

올가을 자작나무 숲에서

## 2. 가을이

차창 밖 치악산엔
가을이 치맛자락을 산기슭까지 덮어 내리고
정류장에 서 있는 긴 코트 사내는
주머니 깊이 손을 두었네!

줄지은 노란 옷 아이들 손엔
낙엽과 솔방울을 줄줄이 꿰인
가을이 낚였고
선생님 목소리는 파란 하늘을 따라 올라만 간다.

길 따라 심긴 화살 나뭇잎은
단풍나무에 달린 가을을 달아 내렸고
은행나무는 바닥에 노란 카펫을 깔았네

가을바람에 낙엽 떨어지듯
나뭇가지 내려앉은 산 새 한 마리
집 가는 발걸음을 잠시 잡아 두네

# 3. 제비, 도시로 돌아오다

마천역에 내려 귀가하는데 날렵하게 날아가는 새 한 마리, 저공 비행하며 다가구 주택 콘크리트 처마 밑으로 미끄러지듯 들어가더니 벽에 스파이더맨처럼 달라붙었다.

제비였다.
제비가 도시에 돌아오다니.

두물머리나 서울 근교에선 근래 수년간 물가를 나는 제비들을 보며 그래도 우리나라를 아주 떠난 것은 아니란 생각이 들어 반갑곤 하였는데, 비록 외곽이지만 그래도 '서울'에서 제비를 본 것이다.

동대문구 용두동에서 어린 시절을 보냈는데 당시 제비는 지천에 돌아다녔고, 착한 흥부에겐 축복의 박씨를 심술궂은 놀부에겐 응징의 박씨를 물어다 준 제비여서 인과응보의 아이콘으로 친근히 여겨지기만 하였던 새가 아니었던가. 그러나 점차 도시의 교통이 번잡해지면서 서울에선 그 자취를 볼 수 없었다.

먹이활동 시 저공으로 빠르게 나는 제비의 습성상 동물찻길사고 당할 가능성이 커 보이는데, 도시의 수많은 차량의 물결 속을 어떻게 비집고 다닐지 걱정스럽기도 하고 저러다 어미가 죽으면 새끼들은 누가 돌보나 하는 생각에 마음이 조마조마하기도 하였는데, 처음 집을 짓고 어린 새끼를 키우기 시작한 지 상당 기간이 지난 지금도 어미는 건재하다.

 콘크리트 사각의 각진 처마 제비집의 위치는 높지도 않아 사람의 손이 닿을 듯한데도 사람들을 신뢰한 듯 그곳에 집을 지었다. 숲속에 뱀에게 알이나 어린 새끼를 잃는 것보다는 그래도 오랜 세월을 거쳐 신뢰를 다져온 사람과의 동거가 더 마음에 놓이는가 보다. 쥐나 고양이가 접근할 위치는 못 되니 그래도 제비들에게는 안전한 장소이리라. 이 험한 세상에 각양각색의 위험 속에 자신의 새끼들을 안전하게 키우려는 제비의 지혜롭고 따뜻한 어미의 마음이 전달되어 왔다.

> 오, 만군의 여호와님! 저의 왕, 저희 하나님!
> 주님의 두 단에서 참새도 집을 찾았고
> 제비도 새끼 칠 둥지를 찾았습니다.
> 주님의 집에 거주하는 이들은 복이 있으니
> 그들이 늘 주님을 찬양할 것입니다. 셀라
> 주님께 힘을 얻고
> 그 마음에 시온을 향한 대로가 있는 이는 복이 있습니다.
> 시편 84:3-5

 집안은 다 자란 네 마리의 새끼제비들로 꽉 찬지라 어미가 들어갈 자리가 보이지 않았고, 그런 집에 접근하기 위해 벽에 흙을

던져 벽에 붙어 마른 듯한 모양의 흙덩어리를 중간 기착 장소로 마련해 두었다. 외부에서 활동하던 어미는 집에 있는, 거의 육안으로 보기에 어미만 해진 새끼들에게 가기 전, 이 자가 제작 횃대에 스파이더맨처럼 붙었다가 먹이를 먹이러 들어가곤 하였다.

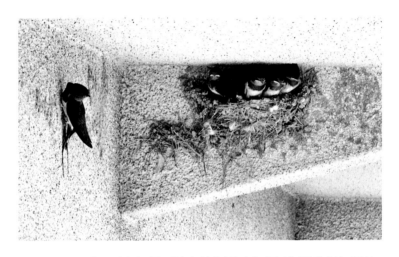

외곽이지만 서울에 제비가 집을 지었다. 엄마만큼이나 자란 새끼들에게 부지런히 먹이를 물어다 주는 엄마 제비의 모습이 애처롭다.

새끼 제비들의 입가엔 선명 백색 줄이 있어 '여기가 입이에요, 얼른 먹이 주세요. 하나도 놓치지 마시고요.'라고 하는 듯하였다. 이젠 어미만 해진 새끼들은 곧 둥지를 떠나 각자의 성체로서 생활을 시작하리라. 세상은 사람 살기에 점차 각박해져 성인이 되어도 집을 떠나지 않고 부모들과 함께 사는 이들이 늘어가고 있는데 제비들에게도 그런 현상이 있을까? 비좁아 보이는 제비집을 보며 은근히 궁금해졌지만, 아직 그런 소리를 들어본 적이 없어 새끼 제비들이 곧 날아오를 날을 기대하며 집을 향한 발걸음을 재촉하였다.

18

파푸스

# 4. 새끼 제비의 출가

 제비에 관한 글을 쓴 지 며칠이 지나지 않았는데, 출근길에 제비집을 흘낏 보니 제비 새끼들이 한 마리도 남아 있지 않았다. 분주히 오가던 엄마도 보이지 않고, 마치 내가 글을 써서 많은 사람에게 자신들의 안식처가 공개됐으니 여기서 못살겠다고 이사 간 것처럼 적막하기만 하였다. 벌써 새끼 제비들이 집을 떠나 날아오른 것일까? 하긴 지난 글을 올린 때만 해도 제비집은 새끼들로 미어터질 것 같이 비좁아 보였던 것을 보니 거의 다 성장했던 것일 듯했다. 그러고 나서 며칠 후 그곳을 지나가는데 전깃줄에 여러 마리 제비들이 소란스럽게 지저귀고 있었다.

 필연 이 제비 중 몇은 그 제비집에서 자라나온 새끼 제비들이리라. 성공적인 육아와 출가였던 게다. 도시에 워킹맘으로 네 마리의 제비들을 훌륭히 키워낸 작고 힘없는 엄마 제비와 열심히 외조한 아빠 제비에게 칭찬과 격려의 박수를 보내고 싶어졌다. 한갓진 시골보다 훨씬 위험 요소가 많을 이 복잡한 도시에 왜 이 부부가 둥지를 튼 것일까? 강남 8학군이 있는 것도 아닐 제비 세계에 나름으로 이유가 있으리라 마는 부디 동물찻길사고 당하지 않고 도심을 휘젓고 날아다니는 고도의 비행 기술을 배우고 살아남기를 고대해 본다.

꽉 찼던 제비집에 적막만 흐른다. 새끼들이 다 출가한 모양이다.

제비집 위 전깃줄에 날렵한 제비들이 시끄럽게 재잘대고 있다. 출가한 새끼 제비들의 노래가 아닐까?

# 5. 별 볼 일 있는 날

 지금은 터널이 뚫려 한 번에 휙 통과하지만, 미시령 고개를 굽이굽이 넘어 속초에 가던 시절 한겨울에 저녁이 다 되어 고갯마루에 진입하였을 때였다. 휴게소 주차장에 잠시 내려 차 문을 열고 나온 순간 우린 너무 놀랐다. 저녁 하늘 별들이 쏟아져 내려, 온 하늘 전체에 촘촘히 빛나고 있었다. 이렇게 별들이 많다니! 이 많은 별이 내가 사는 지구상 온 하늘을 뒤덮고 있건만 별 하나 없는 듯 살아온 삶이었다.

 사실 도시 생활은 하늘 볼 일도 별로 없지 않은가? 반복되는 일과와 내려놓을 수 없는 수많은 일의 연속은 우리로 하늘을 보지도 않고 살게 하지 않았는가?

 그날 쏟아져 내려온 별들을 본 이후 그 광경이 잊히지도 않았지만, 그런 광경을 다시 보기도 쉽지 않았다. 도시의 밝은 야경은 수많은 별을 감추기에 충분했고 몇몇 밝은 별자리들과 금성과 화성 정도 볼 수 있었을 뿐이었다. 그나마도 밝게 빛나는 것은 인공위성이란 이야기도 들은 적이 있어 저 빛나는 별 같은 것이 진짜 별인지 인위적인지 얼핏 보기에 알 수 없었다.

 뉴질랜드에서 밀퍼드 사운드(Milford Sound) 등반 때나 캐나다 로키를 방문했을 때, 미시령의 그 날의 별들과의 재회를 꿈꾸고 도전해 보려 했으나, 낮의 일정이 워낙 강행군이다 보니 저녁이 되면 쓰러져 자기 십상이었다. 결국 별을 볼 목적으로 따로 일정을 세우지 않으면 도시민이 별 보긴 힘든 삶을 살아가는 셈이었다.

 이번 여름 남반구에 있는 호주는 겨울인데, 딸네 방문 일정 중 상빈 자매님의 추천으로 사위와 딸과 함께 저녁 밤하늘 별을 보기로 일정을 잡았다. 무게라 호수(lake Moogerah)로 가서 은하수도 보고 사진도 찍기로 하였다. 저녁 기온이 섭씨 7~8도까지 떨어질 것이 예상돼 여러 벌의 옷을 입고 따뜻한 코코아도 보온병에 담고 사진 촬영을 위한 삼각대까지 갖추고 나름 만반의 준비를 다 하였다. 이전과 다른 점은 '별 보러 간다'라는 것이었다.

 남반구 6월 말은 해가 짧아 6시를 넘어서니 벌써 어두워졌고 컴컴한 고속도로를 사위가 시속 100km로 질주했는데 조금 도시를 벗어나니 우리나라 80년대 영동고속도로 같았다. 중앙 분리대도 없고 길과 주변을 분리하는 별도의 구조물도 없어 캥거루나 왈라비라도 튀어나오면 대형 사고가 날 것 같아 조마조마하였다.

 한 시간 반 남짓 달린 후 반달의 빛만 조요히 비취는, 인공조명이라곤 문 닫은 외딴 카페의 불빛 외엔 없는 장소에 도착하였다. 처음 암순응되기 전까진 두려울 정도로 어둡더니, 점차 어둠에 적응해 나갈 무렵 여기저기 흩어져 밤하늘을 가리고 있던 구름이 바람에 다 날아가 버리고 많은 별, 선을 긋게 만드는 숱한 별자리들, 그리고 희미하게나마 은하수가 호수를 배경으로 밤하늘에 펼쳐지고 있었다.

 드디어 별 볼 일 있는 날을 맞이한 셈이었다. 반달이 중천에 떠오른 탓인지 미시령의 그 날의 쏟아져 내리는 별들만큼은 아니었지만, 도시에서는 볼 수 없는 아름다운 광경이었다. 이토록 밤하늘에 빛나는 별들을 가진 우리가 평소 누리지 못하고, 또한 있는지조차 인식하지 못한 채 살고 있다니. 땅의 이야기에만 연연하여 하늘을 잊는 과오를 범하지 말고 맑은 하늘, 인위적 빛을 내려놓고 하늘에서 오는 빛을 받아들이는 삶을 잠시라도 사는 것이 사치이기만 한 것일까?

> 또한 우리에게는 신언자가 말한 더 확실한 말씀이 있습니다. 어두운 곳을 비추는 등불에 주의를 기울이는 것처럼, 여러분은 날이 밝고 샛별이 여러분의 마음속에 떠오를 때까지, 이 말씀에 주의를 기울이는 것이 좋습니다. 베드로후서 1:19

무게라 호수가에서 저녁 무렵, 별들이 쏟아지는 밤하늘을 보았다.

# II.
## 은쟁반의 금사과

# 6. 가시복

파란 바닷물에 햇살이 일렁거리며 내려앉는 어느 깊지 않은 바다에 알록달록 물고기들과 항상 투덜거리는 가시복이 살고 있었습니다.

이 가시복은 어려서부터 아주 영민했죠. 그래서 주변 물고기들이 어려운 일이 있을 때마다 상담하곤 하였답니다. 그럴 때마다 다른 물고기들이 생각하지 못했던 점들을 지적해주곤 하여 인기가 점점 더 많아지게 되었습니다. 하지만 이 가시복에게는 항상 투덜거리는 습관이 있었습니다.

바닷속 동네에 이 가시복의 명성이 높아져 갔고 가시복도 자신이 꽤 영민하고 중요한 존재라고 생각하게 되었습니다. 그렇게 자신감이 점점 커지던 가시복에게 이상한 변화가 생기기 시작하였는데, 좀 짜증이 나게 만드는 이웃 물고기가 나타나면 몸에 접혀 있던 가시들이 뾰족하게 서게 되는 것이었습니다. 이 낯선 변화에 가시를 세울 때마다 주위 물고기들은 날카로운 가시에 찔릴까 봐 황급히 피해야 했습니다.

점차 가시복이 자라면서 다른 물고기들이 사는 모습에서, 많은 단점이 눈에 들어오기 시작했습니다. 그리고 이것을 또 다른 물고기들에게 말하기 시작하였습니다. 말하다 보니 이런 점을 간파한 자신의 영민함이 대단하다고 느껴져 흥분하곤 하였는데 그럴 때마다 목소리가 커지고 뭉툭한 새 부리 같은 앞니가 두드러지며 가시들이 세워지곤 하였고, 그 말을 듣던 물고기들은 또 놀라 피해야 했습니다.

 가시복의 말을 듣던 물고기들은 다른 물고기의 단점에 대해 비난하며 말하고 있는 가시복 자신도 그대로 행하는 것을 보게 되었습니다. 그리고 물고기들은 서로 수군거리기 시작했습니다. "왜 자신의 모습은 보지 못하는 거지?"

 그러던 어느 날 노랑나비고기가 가시복에게 물어보았습니다. "너는 다른 물고기에 대해 잘못을 지적하곤 하는데 너도 그러지 않니?" 그러자 가시복은 몸을 빵빵하게 부풀리고 온몸의 가시들을 다 세우고 말하였습니다. 그의 말은 자신의 행동은 다른 물고기 때문에 그런 것이고 자신에게는 아무 잘못이 없다고 하며 자신의 행동의 모든 원인 제공은 이 바닷속 생태계 문제라고 목청을 올리며 화가 난 듯 '뿜 뿜' 소리를 내었습니다. 그런 가시복의 반응에 더 이상 물고기들은 가시복에게 어떤 말도 할 수 없었습니다.

 이제 가시복을 찾는 물고기들도 뜸해지고 가시복은 자주 홀로 있는 시간이 많아지자 외롭게 느껴지기 시작하였습니다. 그러던 어느 날 바다표범이 물고기를 사냥하러 이 바닷속으로 들어왔습니다. 다급해진 물고기들은 서로 신호를 보내주며 산호 사이나 바위틈으로 숨기 시작하였습니다. 홀로 있던 가시복은 영문도 모른 채 여기저기 헤엄치고 있었습니다. 가시복을 발견한 바다표범이 쏜살같이 다가와 한입에 물려고 하는 순간 나이 많은 큰 바다거북이 딱딱한 등으로 바다표범의 공격을 막아 주었고 주둥이를 부딪친 바다표범은 너무나도 아파 물 위로 돌아가 버렸습니다.

 죽을 뻔하였던 가시복은 너무나 고마워 바다거북에게 감사하다고 여러 번 말하였습니다. 이 일이 있었던 후 바닷속은 달리 보였고 그렇게 형편없어 보였던 주변 물고기들도 감상할 점이 많고 배울 점이 많다는 것을 보게 되었습니다. 그리고 성질이 나려 해도 가시를 세우지 않고 다른 물고기들과 몸을 부딪쳐 가며 즐거이 헤엄치길 배우게 되었습니다.

 파란 바닷물 속 햇살이 아롱거리는 어느 바닷가엔 알록달록 물고기와 가시복이 어울리며 헤엄쳐 다니며 살고 있었답니다.

> 사람이 교만하면 낮아지게 되나 겸허한 영을 지닌 이는
> 존귀를 얻게 된다.  잠언 29:23

# 7. 경우에 합당한 말

사람들은 말로 천 냥 빚을 갚기도 하지만 이런 경우는 희귀하고, 더 많은 경우 천 냥 빚을 지곤 한다. 다른 사람을 판단한 말, 이래라저래라 요구한 말, 심지어 정죄하고 심판한 말들은 다 성경에 이른 바와 같이 종국에는 자기 자신에게로 되돌아온다.

> 그러므로 무엇이든지, 여러분을 위하여 해 주기를 남들에게 바라는 대로, 여러분도 그들에게 그렇게 해 주십시오. 이것이 율법이며 신언서입니다. 마태복음 7:12

우리는 이해받기를 원하지만 다른 이를 오해하곤 한다. 내가 본 관점이 균형 잡히지 않았어도 자신이 옳다고 생각하기에, 여기에 더하여 선입견까지 가세하니 다른 이를 바르게 알지 못하기에 십상이다. 우리는 배려받고 싶지만, 쉽사리 다른 이를 무시하곤 한다. 항상 자신이 더 남보다 더 낫다고 생각하기 때문이며, 다른 사람의 가치를 인식하려 하지 않기 때문이다. 다른 사람의 의견에 쉽게 동의하지 않으며, 많은 경우 다른 이의 제안에 반대 의견이 앞서나, 다른 사람들이 자신의 의견에 동의해 주길 원한다.

우리는 자신의 잘못은 쉽게 용서받기를 원하고, 조금 사과의 뜻을 비쳐도 상대는 후한 마음으로 자신의 과오를 넘어가 주기 원하나, 다른 사람의 잘못에 대해서는 그가 사과를 아무리 하여도 진심이 결여되 있다고 노하여 꾸짖기를 마다하지 않는다. 우리가 하는 말들은 다 독한 말들이고, 우리 입에서 나온 말은 생명의 열매를 맺지 못한다.

경우에 합당한 말은 / 은쟁반의 금사과와 같다. 잠언 25:11

은쟁반에 놓인 금사과 같은 말을 하는 사람이 그립고, 이런 사람이 이 사회를 밝히는 등불처럼 빛날 것이다.

# 8. 빠른 거야, 느린 거야?

왕복 2차선 지방 도로를 시속 80km로 달리는 운전자 P 씨가 있다고 하자. 가다 보니 시속 60km로 달리고 있는 S 양이 있는 곳에 도달하자 답답한 듯 이리저리 운전대를 비틀다가 기회가 되자 추월해 앞서 나갔다. 창밖에 보이는 들판과 녹색 수풀들을 흘깃 보며 드라이브를 즐기고 있는데 갑자기 차 한 대가 자신을 추월해 지나가는 것이 아닌가. 그것도 쏜살같이 말이다. 시속 100km로 달린 K 씨였다. P 씨는 빨리 달리고 있었을까 아니면 느리게 달리고 있었을까? 이를 판단하기 위한 회의에 S 양과 K 씨가 초대되어 열띤 토론을 벌였다. K 씨는 P 씨가 굼벵이같이 느리다고 성토하였으나 S 양은 무슨 소리냐며 그는 KTX보다 빠르게 지방도로를 달렸다고 비난하였다. 이들의 논쟁은 끝날 줄 몰랐다.

우스꽝스럽게 보이겠지만 우리 주위에 이런 일들은 비일비재하게 일어나고 있다.

회의가 서울에 있을 때 전철역까지 걸어가 출근하곤 하는데 종종 아내와 함께 걷는다. 간단한 식후 아침 운동을 함께 하는 셈인데 주변 아파트 단지를 돌아 돌아 걷게 된다. 어느 날 아침 함께 걷는데 아파트 주변 화단에 드문드문 보였던 아기 단풍나무

들이 보이지 않았다. 단풍나무 씨앗이 떨어져 발아된 지 1~2년
쯤 돼 보이는 작은 단풍나무들이었다. "일하는 분들이 다 뽑아버
렸나 보네."라고 말했더니 아내는 "무슨 소리예요, 일일이 언제
뽑고 있겠어요. 잔디 깎을 때 다 깎여나간 거지."라고 나의 말에
반하는 대답을 하였다.

　나는 즉답을 피하고 잠시 걸으며 아내가 왜 그렇게 이야기할
까 생각해 보았다. 나는 아파트 단지를 걸을 때 일하시는 분들
이 쪼그려 앉아 잡풀을 뽑는 것을 보곤 하였기 때문에 자연스럽
게 그렇게 생각하고 말한 것이었는데, 아내는 그런 장면을 자주
보지 않았고, 아파트 단지 내 전동 기구를 사용하여 잔디 깎는
모습을 보곤 하여 그렇게 말하였던 것이다. 우리 부부 모두 현장
을 본 사람은 없으니 추측의 말인데 추측하는 근거는 자신이 보
고 체험한 관점에 따른 것이었다. 보고 체험한 것이 상이하니 의
견이 맞지 않고 같은 현상을 보아도 해석이 달랐다. 여기서 더
각자의 주장을 주장하면 이 작은 일로도 부부간에 큰 다툼이 일
어날 수 있으니 거기까지만 하였다.

　우린 이상(異常)하단 말을 흔히 하게 된다. 문자적으로 생긴 것
이 다르다는 이야기인데 무엇과 다르다는 것인가? 내게 익숙한
모양이나 모습 행동양식과 다를 때 이상하다고 말할 것이다. 내
게 익숙하지 않은 타인은 이상하다. 길을 가며 혼자 키득키득 웃
어가며 말하는 사람이 이상해 보인다. 러시아와의 전쟁에서 우

크라이나를 지지하지 않는 사람들이 이상해 보인다. 미국 정치에서 트럼프를 지지하는 사람들도 이상해 보인다. 그러다 보니 온 세상은 다 이상한 사람투성이다. 나와 다른 사람을 멀리하다 보면 우주 가운데 나 홀로 남게 된다.

태어나서 자라며 보고 들은 것, 배우고 체득한 것, 듣고 경험한 것이 다 다르고 이 모든 것들은 하나의 관념으로 각자에게 작용한다. 그 관념이 똑같은 사람은 없다. 나의 아내와 35년 넘게 살아왔고 인생의 많은 부분을 공유하며 함께 해 왔지만, 우리에게는 아직도 달라도 너무 다른 관점들이 있다. 서로 다른 관점을 주장하면 다투게 되고 심지어 분열되게 된다. 무엇이 우릴 하나로 만들고 보존되게 할 수 있을까?

> 모든 성경은 하나님께서 숨을 내쉬신 것이며, 가르치고
> 가책받게 하고 바로잡고 의(義)로 교육하는 데에 유익합
> 니다. 디모데후서 3:16

우리 부부가 터득한 것은 하나님의 말씀 앞에 올 때야 우리의 다름이 문제 되지 않고, 하나의 분위기가 깨지지 않으며 깊은 속에서부터 서로를 이해하게 되고 받을 수 있다는 것이다. 친구여, 길은 성경에, 살아계신 하나님의 말씀 안에 있다.

# 9. 그대의 삶이 우주야

나의 주된 업무 분야가 의료계의 다양한 분야에 걸쳐 있다 보니, 회의도 잦고 회의 주관 부서 직원들과의 교류 또한 빈번하게 이루어진다. J 팀장은 평사원 시절부터, 직원들을 대상으로 한 나의 주된 관심 분야인 근거 기반 의사결정(evidence-based decision-making)에 대한 강의 때에 눈을 반짝이며 강의를 듣고 질문도 적극적으로 하던 친구였다. 일을 잘해 팀장으로 승진했는데 진급할수록 업무의 강도와 책임감은 커져만 갔고 끊임없이 밀려오는 일에 서서히 지쳐가고 있었다.

어느 날 중요 회의의 사전 브리핑을 하러 와서 이야기하던 중에, 요즘은 뚜렷한 생각 없이 사는 자신의 모습과 무언가 탁월함이 보이지 않는 자신의 삶에 대해 실망하고 있다고 말하였다. J 팀장뿐 아니라 많은 직원과 이야기해보면 대부분 사람이 자신이 하는 일의 80~90%가 삽질하는 일이라고 생각한다는 것을 알 수 있었다. 최근 여러 기관을 돌아가며 일할 기회가 있었던 내게는 이러한 직원들의 반응이 어느 특정 기관에 속한 것이 아닌, 일반적이라는 것을 발견하게 되었다. 대부분 직장인의 생각에는 열심히 일하였으나 그 결과는 아무짝에도 쓸모가 없어 보인다는 것인데, 그래도 나는 당신이 행한 일의 10~20%는 인류를 위해 좋은 영향을 주었으니 잘한 것이라 격려하곤 하였다.

그날 J 팀장의 활기를 잃은, 그리고 일에 지친 말을 듣다가 **'당신이 자신의 생명을 귀중히 여기고 진지하게 사는 것만큼 온 우주에 의미 있는 일은 없다'**라고 말해 주었는데 이 말을 하는 중에 내가 그녀에게 말한 이 느낌은 참된 것이라는 생각이 들었다.

모두가 이순신 장군과 같고 세종대왕이나 방탄소년단과 같아야만 우주가 그 의미를 갖게 되는 것인가? 이름 모를 산에 제자리를 지키며 자라나온 나무 한 그루, 그 나무에 깃들인 한 쌍의 새, 농부에게 오늘도 달걀을 제공해 준 암탉 한 마리 그리고 작은 일을 소중하고 귀중하게 여기며 삶을 살아가는 한 사람 한 사람의 삶이 우주를 이루는 것이 아닌가?

언젠가 유튜브에서 본 미국 오스틴에 있는 텍사스 대학의 학위 수여식에서 미 해군 장성 McRaven의 이야기가 기억에 남아 있는데, 미 해군의 특수부대인 네이비 실의 훈련과정에 관한 이야기를 사용하여 자신을 바꾸고 세상을 변화시키는 일에 대하여 한 말이었다. 수많은 사람이 이 특수부대에 임용되길 바라며 도전하지만, 그 과정을 끝까지 마치는 사람이 많지 않으나 그 장군은 이 과정을 견디고 이겨내고 성취하는 비결을 뜻밖에도 아주 평범해 보이고 작은 것에서부터 시작한다고 지적해주었다. 바로 취침을 끝내고 나서 자신이 잔 잠자리를 정돈하는 것 말이다. 그 작은 일을 소홀히 여기지 않고 정성을 다하고 성취하는 것은 누구나 다 할 수 있는 일이다. 마음만 먹으면 말이다. 좀 더 큰일에 실패하고 좌절했어도 자신이 정리한 작은 성취, 작은 진지한 삶의 결과를 볼 때 그는 다시 일어나 도전할 수 있다는 것이 그 장군의 말이었다.

> 첫 번째 노예가 나아와서 '주인님, 주인님의 한 므나로 열 므나를 벌었습니다.'라고 하니, 주인이 그에게 말하였습니다. '잘하였다. 착한 노예야, 네가 가장 작은 것에 신실하였으니, 열 도시를 다스리는 권위를 가져라.' 누가복음 19:16-17

한 므나는 백일의 품삯이다. 오늘날로 치면 대략 석 달치 월급인 셈인데 이러한 일을 적게 여기지 않고, 진실되고 진지하며 성실히 하루하루를 살 때 그는 열 도시를 다스리는 사람, 즉, 경기도를 제외하고는 대개 하나의 도에 시는 8~10개 정도가 되니, 오늘날로 말하면 도지사가 될 위임을 받게 되는 셈이다.

오늘의 이 시대를 사는 젊은이들은 우리 세대가 겪지 못한 시대적인 어려움을 겪고 있다. 어느 것도 보장되지 않는 미래, 여러 번의 도전에도 열리지 않는 취업의 문. 마음에 원하는 큰일들의 성취가 쉽사리 얻어지지 않을 때 인내하고 있는 꾸준히 힘쓰고 소망을 갖고 지속해서 추구하는 것은 쉬운 일이 아니다. 하지만 나에게 주어진 일생, 오늘이라는 시간, 내가 해야 할 작은 일들을 귀히 여기고 진지하고 성실히 행할 때 언젠가 매우 값진 기회가 오게 될 것이다. 그대의 삶 자체가 우주의 의미인 만큼, 인생의 의미를 알고 소중한 일생을 하루하루 진하게 살자.

# 10. 고향을 찾아서

처음에는 이해할 수 없었다. 십여 년 전 갖고 놀던 인형이나 어렸을 때 노트, 심지어 다 닳아 빠진 크레파스조차 버리려면 한바탕 큰 소동을 벌여야 하고 그러고 나서도 결국 딸아이의 고집을 꺾지 못해 '자식 이기는 부모 없다'를 연발하곤 하였다.

'세상에 이런 일이'에 나올 법한, 온갖 잡동사니가 가득한 집에 사는 어떤 노부부 이야기 같은 상상조차 하기 싫은 일이 현실로 다가올 것 같은 위기감을 갖고, 질 것이 뻔한 싸움을 또 걸어 보곤 하였다.

도대체 왜 옛것들을 버리기 그토록 힘들어하는 것일까? 여러 차례 거친 전투 끝에 조금씩 이해하기 시작한 것은 아이가 옛 물건들로부터 과거를 회상한다는 것이었다. 옛 물건들이 아이에게 하나의 그리운 고향이었다. 고향을 빼앗긴다니 그토록 싫었던 게다.

> 그러나 사실 그들은 더 좋은 곳인 하늘에 속한 고향을 그리워한 것입니다. 그러므로 하나님은 그들의 하나님이라 불리시는 것을 부끄러워하지 않으셨습니다. 왜냐하면 하나님께서 이미 그들을 위하여 한 성을 예비하셨기 때문입니다. 히브리서 11:16

우리 부부가 결혼한 후 둔촌동에서 신림동으로 다시 신내동으로 이사 갔다가 창동으로, 창동에서만 두 번을 더 이사했다가 중계동으로, 중계동에서 두 번 더 이사했다가 하남으로 거의 열 차례에 육박하는 이사 전력이 아이들의 고향을 빼앗았던 것이었다. 그걸 난 이해하지 못하고 있었다.

이사 때마다 다 이유가 있었고 삶의 처절한 분투 속에 이리 틀고 저리 틀어보고 해 왔던 터라, 우리 부부는 아이들에게 그런 환경의 변화가 어떤 영향을 줄지 생각할 여유조차 갖지 못했다. 아이들에겐 갈 만한 고향이 없었고 자기 손자국이 남아 있는 벽들과 자기 발자국이 남겨진 길들의 아련한 추억을 가슴에 담아 두고, 때론 어려움이 닥쳤을 때 걸어 보고 마음을 다잡아볼 만한 공간이 남아 있지 않았다.

이번 이사한 집에서 드디어 나의 서재를 갖는 로망이 현실화하나 했지만, 그 방마저 아이에게 빼앗기고, '도대체 네게 부족한 것이 무엇이냐'고 부르짖고 싶은 아비의 마음이지만 그래도 아이에겐 모든 것이 부족하였으리라 생각하며 나는 내방 쟁탈전은 벌이지 않고 조용히 거실에 아내와 앉아 오늘도 책을 읽는다. 아내와 함께 아이에게 그리운 고향을 실감 나게 찾아줄 계획을 해보면서.

# 11. 요리사의 칼

 옛날, 그 옛날 어느 왕국에 맛있는 음식을 유난히 좋아하는 임금님이 살고 있었습니다. 이 임금님에게는 맛있는 요리를 해주는 수석 요리사와 그를 돕는 많은 요리사가 있었습니다. 그 요리사들은 왕국의 각지에서 올라오는 최상의 재료들을 사용해 보기에도 좋고 임금님의 입맛에 딱 맞는 풍성한 요리들을 해내곤 하였습니다.

 그러던 어느 날 수석 요리사와 그를 돕던 요리사들도 점차 나이가 들어가게 되어 다음 세대의 요리사들이 필요하게 되었습니다. 그래서 임금님과 상의 끝에 왕립 요리학교를 우수한 성적으로 졸업한 젊은 요리사들을 채용하기로 하였답니다.

 이 새로 온 새내기 요리사들은 각자 앞으로 자신이 왕궁에서 이름을 날릴 멋진 수석 요리사가 될 꿈을 꾸며 설레는 마음을 갖고 왕궁의 주방에 들어오게 되었습니다. 왕궁의 주방은 휘황찬란하고 요리학교에선 보지 못했던 온갖 귀중한 그릇들과 요리 도구들이 즐비한 것을 보고 마음이 황홀해졌지요. 모든 도구는 잘 닦여 정돈되어 있었고 주방용 칼들도 음식 재료를 살짝 갖다 대기만 해도 잘려 나갈 정도로 날이 잘 서 있었습니다.

그런데 누구보다 열심히 요리하는 데 참여하고 배우고 싶었던 이 풋내기 요리사들은 날 선 칼에 자꾸만 손을 베이게 되었습니다. 이렇게 손이 자주 베이게 되면 왕궁의 요리사에서 쫓겨날 것만 같은 두려움에 어느 날 저녁 기존 선임 요리사들이 다 퇴근한 사이에 그들은 상의 끝에 철판에 대고 자기들이 쓰는 주방용 칼을 내리쳐 날을 무디게 만들었답니다.

다음날 수석 요리사는 여느 때와 같이 여러 요리사에게 각종 요리를 시키고 이 신참 요리사들에게도 드디어 한 가지 요리를 해 오도록 명령하였습니다. 정해진 시간이 되어 자기 앞으로 준비된 요리들을 가져오게 하였습니다. 정성스럽게 요리된 음식들은 수석 요리사의 어깨를 들썩이게 할 만큼이나 만족스럽게 보였습니다. 마지막으로 풋내기 요리사들의 차례가 되었습니다. 그런데 요리된 음식을 보니 재료들이 거칠게 썰어져 있고 심지어 뭉개져 있었습니다. 모든 요리사가 놀라 어떻게 된 일이냐 묻고 그 이유를 알게 되자 다들 깔깔거리며 웃기 시작하였습니다.

수석 요리사가 그 젊은 새내기 요리사들에게 말하였습니다. "이 어리석은 사람들아, 날이 서지 않은 것을 어찌 칼이라 하겠느냐? 칼에 손이 베이는 것은 자네들이 칼의 속성을 잘 알고 날 선 칼날을 두려워하여 스스로 조심하여 다룰 줄 알게 되면 문제가 없게 되나, 칼을 무디게 해 놓으면 무슨 수로 음식 재료를 깔끔하게 다듬겠느냐?" 그리고 다른 요리사들에게 말하였습니다

"이 젊은 친구들의 왕립 요리사 자격을 박탈하고 수습생으로 두어 배우게 하시오."

왜냐하면 그는 하나님의 종으로서 그대의 유익을 위하여 일하기 때문입니다. 그러나 그대가 악한 일을 행하거든 두려워하십시오. 그가 공연히 칼을 차고 있는 것이 아닙니다. 왜냐하면 그는 하나님의 종으로서 악을 행하는 사람에게 하나님의 진노를 집행하는 사람이기 때문입니다. 로마서 13:4

# 12. 보이는 것이 보이지 않는 것을 가린다

글을 쓰는 것은 조각하는 것과 같다. 머릿속에 떠오른 생각의 실체를 다른 사람들이 볼 수 있도록 언어로 조각을 한다. 이 표현을 해보고, 또 한참이 지나 떠오른 저 생각을 적어본다. 이 글을 더해보고 저 글은 빼보기도 하고 다른 표현으로 바꾸어 본다. 그러면서 점차 그 사유의 실체의 윤곽이 드러나고 독자가 알아볼 수 있는 어떤 형태로 나타내어진다. 하지만 그렇게 글을 써도 아내에게 읽어 보라고 하면 무얼 말하고 싶은 거냐는 핀잔을 듣기도 한다.

이런 생각을 한 사람이 있을까 하고 구글링을 해보니 이미 독일의 노벨상 수상 작가 권터 그라스(Gunter Grass, 1927-2015)가 글쓰기는 조각과 같다고 이야기한 것을 발견하였다. 양철북의 저자 말이다. 그는 실재 조각가이자 작가였다고 하니 더 그렇게 느꼈을 것이다.

내가 사유하는 어떤 것을 글로 표현하는 과정은 글을 읽는 분들과는 소통의 과정이고 이 과정에서 내 생각에 떠오른, 내게 깨달음이 된 그 실체를 전달하려면 나는 언어로 섬세한 조각을 해야 한다. 그 글을 읽는 사람에게 어떤 느낌이 느껴질 때까지.

오늘 조각 작품을 선보이고 싶은 것은 '보이는 것이 보이지 않는 것을 가린다는 것'이다. 이것을 잘 표현해 낼 수 있을까? 내가 말하고 싶은 내용이 그대로 제시되도록 말이다.

 부부가 가정을 이루어 살다 보면 많은 현실적인 생활의 필요들로 인해 염려도 하고 불안해하기도 하며 내일의 불확실성으로 인해 흔들리기도 한다. 그러다 보면 자연히 손에 잡히는 것들을 고려하게 되고 의지하게 되니 수입과 은행 잔고에 눈이 가기 마련이고 이로 인해 수입과 직장과 관련된 일에 대한 말이 부부 사이에 오가기도 한다. 십오 년이 흐른 이야긴데, 당시 우리나라에서 영어와 한국어 수업이 반반 이루어지는 Y 초등학교에 막내가 다닐 때였다. 늦게 막내를 얻은 턱에 학부모 모임이 있어 아내가 다녀오면 만난 아이 동급생 엄마들은 거의 다 손 아래였고 나의 아내가 거의 제일 연장자였다. 그런데 이 부모 모임, 아니 엄마들 모임만 갔다 오면 아내의 표정은 굳어 있었다.

 나중에 알게 된 것은 엄마들이 자신들의 일상을 이야기하면서 생일선물로 남편이 BMW를 사줬다는 등의 이야기가 오갔다는 것이었다. 그런데 자신의 남편인 나는 의사인데도 왜 우린 이렇게 사냐는 생각이 들어 마음이 몹시 어렵고 내가 그렇게 모자라 보일 수 없었다는 것이었다. 당시 나는 E 병원의 내과 조교수로 의사지만 월급을 타는 봉직의였다. 그다지 후하지 않은 월급이지만 환자를 돌보는 열정으로 열심히 살며 나름 명의 소리도 들어가던 시기였다. 대부분 의사는 자신이 명의라고 생각하니 널리 이해해 주시기 바란다. 지금은 나의 아내가 그리 생각하였던 것을 몹시 후회하고 있지만, 그렇게 열심히 살고 가족을 사랑하고 가족을 위해 살고 있던 나를 그 당시엔 한참 모자란 사람으로 보았던 것이었다.

아이들이 갓 태어나 손과 발을 꼼지락거리는 것을 보면 세상 근심이 없다가도 점차 아이들이 자라며 학교생활과 성적표를 보다 보면 이 아이가 자라서 어떻게 사회생활에 잘 안착할지 염려가 쌓이게 되고, 쌓인 염려만큼 아이들에 대한 잔소리의 말수가 늘어만 가고, 늘어난 잔소리만큼 아이들은 저 멀리 물러가 있게 된다. 나는 아이를 위해 애가 타기도 하고 열과 성을 다해 일하기도 하지만 그럴수록 아이들의 마음은 점점 더 닫혀만 간다.

> 우리가 주목하는 것은 보이는 것들이 아니라, 보이지 않는 것들입니다. 보이는 것들은 잠시뿐이지만, 보이지 않는 것들은 영원하기 때문입니다. 고린도후서 4:18

사실 우리가 보이는 것들에 연연하고 흔들리는 것은 우리가 불완전하기 때문이다. 하지만 우리의 모든 보이는 불완전함은 보이지 않는 완전하신 하나님과의 관계를 맺기 위한 열쇠가 된다. 이것을 깨닫게 되면, 보이는 상황의 염려들로 인해 오히려 우리는 보이지 않는 하나님께 나아가게 되고 그분을 바라보게 되고,

그분께 의탁하게 되고 그러다 보면 하나님께 연결되게 된다.

 실재 성경에 그런 여인이 나온다. 남편을 둔 대부분 여자가 아이를 가졌으나 당시 '한나'라는 여인에게는 자식이 없었다. 그녀와 경쟁 관계에 있는 브닌나라는 여인도 남자아이를 가졌으나 유독 한나에게는 아이가 주어지지 않았다. 이로 인하여 한나는 몹시 흔들렸고 고뇌하였으나 여기에서 좌절하지 않고 성전에 나아가 하나님께 절박하게 기도하였다. 그때 제사장 엘리는 소리를 내지 않고 울며 기도하는 한나를 보고 술 취한 줄 알 정도였다. 그런 엘리 제사장에게 한나는 **"아닙니다, 나의 주인님. 나는 영이 짓눌린 여자입니다. 포도주나 독한 술을 마신 것이 아니라, 다만 여호와 앞에 내 혼을 쏟아 내고 있었을 따름입니다."**라고 말하였는데, 이후 그녀는 당시 시대를 전환할 사무엘을 얻게 된다.

 바울은 회심 후 주 예수님을 절대적으로 섬기었으나 살 소망을 잃을 정도의 고난을 받게 되었다. 세상을 사랑한 것도 아니고 주님을 섬기는데 왜 이런 죽을 지경의 환경이 닥친 것일까? 그가 이유를 하나님께 여쭐 때 얻은 답변은 다음과 같았다.

> 형제님들, 여러분은 우리가 아시아에서 당한 환난을 몰라서는 안 됩니다. 우리가 힘에 겹도록 극심한 압박을 받아 살 소망까지 끊어져, 결국은 죽게 될 것이라고 스스로

단정하였습니다. 이것은 우리가 자신을 신뢰하지 않고 죽은 사람들을 살리시는 하나님을 신뢰하도록 하려는 것이었습니다. 고린도후서 1:8-9

　다시 말하거니와 우리의 모든 보이는 불완전함은 보이지 않는 완전하신 하나님과의 관계를 맺기 위한 열쇠가 된다. 보이는 많은 것들로 인해 보이지 않는 것들이 가려진 채 보이는 것에 휘둘려 사는 것이 우리의 흔한 일상이지만, 보이지 않는 생명의 귀함, 부부간의 사랑, 자녀에 대한 깊은 애정, 친구와의 우정, 사람과 사람 사이의 정과 신뢰 같은 것이 여전히 존재하고 있음을 볼 필요가 있다. 이 보이지 않는 소중한 것은 보이는 것들에 밀려 우리가 그 존재를 느끼지조차 못한 채 소중한 시간이 흘러가 버릴 수 있기 때문이다.

# III.
## 땅의 높은 곳들을 밟고 다니는 이

# 13. 三顚四起(삼전사기) 캐나다 여행 I.
## 밴쿠버에서 캠룹스로

이 이야기는 COVID-19 팬데믹 이전의 일이었다. 큰 누님께서 캐나다에 이민 가신지 이십여 년이 다 되어갔지만 한 번도 가 뵌 적이 없었던지라 누님댁도 방문할 겸, 그 자연의 광대함과 아름다움으로 인하여 다녀온 사람들의 감탄이 자자한 캐나디안 로키도 방문해 볼 겸, 캐나다 여행 계획을 세워 출발·도착 날짜, 항공편을 정하고 머물 숙소까지 다 예약해 놓고도 가정 사정으로 두세 번을 엎어야만 했다. 당시 둘 다 직장을 다니던 우리 부부에게 십여 일간의 휴가를 낸다는 것은 쉬운 일이 아니었기에, 상세 계획까지 세우고 엎어버리길 이삼 년간 하다 보니 캐나다 여행은 우리에겐 인연이 없다고 생각하게 되었다.

그러던 어느 날 마지막으로 계획을 엎었던 때로 일 년이 다 돼 갈 때 우연히 마일리지를 적립해두고 있던 항공사의 사이트에서 놀라운 것을 발견했는데 캐나다 밴쿠버행 비행기의 비즈니스석 비용이 평소의 반값으로 나온 것이었다. 해외 학술대회 참석으로 비교적 해외여행이 잦은 탓에 항상 마일리지가 어느 정도 적립이 된 편이라 초과예약이 될 때 항공사에서 드물게 비즈니스석으로 무료 업그레이드해주어 타본 적은 있지만, 내가 직접 비용을 지불하여 비즈니스석을 살 엄두를 감히 낸 적은 없었다.

한 번은 아내와 함께 워싱턴 DC에서 귀국할 때였다. 여느 때와 마찬가지로 이코노미석을 예약한지라 공항에서 출국 절차를 밟느라 긴 줄에 하염없이 기다리고 있는데, 비즈니스 클래스 줄에 한 모녀가 서서 기다리지도 않고 표 구매를 하고 있었다. 그 모습이 부러워 아내에게 '저분들은 집안이 얼마나 부자길래 비즈니스석으로 여행을 할까?'라고 하였다. 그런데 이 말을 하고 난 후 생각해 보니 나는 하나님의 자녀가 아닌가? 나는 우주 가운데 가장 부요하신 분의 자녀가 아닌가? 내가 이렇게 부러워하는 마음으로 말하는 것은 하나님을 욕되게 하는 것이란 느낌이 들어 정색하고 아내에게 내가 한 말을 주워 담으며, 참된 마음으로 '우리 아버진 더 부자야' 하며 서로 웃고 잊어버렸다.

드디어 우리도 발권하고 아내와 함께 출국 수속을 마치고 귀국 생각에 마음이 다소 들떠 우리가 탈 비행편의 게이트를 향해 걸어가고 있었다. 그런데 공항 내 방송에서 영어로 내 이름을 부르는 것 같았다. 자세히 들어보니 내 이름이 맞았고 우리가 발권한 항공사의 가까운 공항 내 데스크로 오라는 것이었다. 무엇이 잘못되었나 하고 찾아가 보았더니 그날 초과예약이 되어 내 좌석을 비즈니스석으로 바꾸어 주겠다는 것이었다. 항공사 직원에게 어떻게 나만 비즈니스석으로 가냐고 하며 아내의 좌석도 문의하다 보니 가족 마일리지를 합산하여 아내도 승급할 수 있었다. 두 사람 모두 비즈니스석으로 가게 된 것이었다. 그때 항공사 직원은 우리에게 편의상 좌석만 비즈니스석의 승급이지 나머지 서비스는 이코니미석에 준하는 식음료 서비스가 제공된다고 하며 양해를 구하였다. 속으로 웃으며 나는 '우린 모두 비즈니스 서비스 전체를 받으며 갈 겁니다' 하였는데 실재 모든 서비스가 비즈니스석에 맞도록 제공되었다.

> 그러나 그분을 받아들인 사람들, 곧 그분의 이름을 믿는
> 모든 사람에게는 하나님의 자녀가 되는 권위를 주셨다.
> 요한복음 1:12

평소의 반값에 해당하는 가격으로 비즈니스석을 제공하는 것을 안 마당에 이번에는 꼭 캐나다를 가보자는 마음이 들었다. 실제 이 여행 이후로 여러 차례 해당 항공사에 확인해보았지만 다시는 그런 가격을 찾아볼 수는 없었다. 이 선택은 빡빡한 일정을 소화하고 큰 부담을 주지 않고 돌아올 수 있게 하여 귀국할 때 가장 빛을 발하였다.

아내를 설득하고 동행할 지인들을 찾아보았는데 마침 막 평생교육계에서 묵묵히 일해오시다가, J고등학교를 정년이 지나 퇴임하신 같이 교회 생활을 하고 계셨던 곽 교장 선생님과 방 사모님 내외께서 흔쾌히 같이하여 주시기로 하였다. 평소 부부가 여행을 별로 다니지 않으시던 분이고 제자들 양성에 평생을 헌신한 분이셨는데, 교장으로 재직 중에 유수 대학 진학률이 현저히 높아져 이사장께서 정년을 넘기고도 몇 년을 더 계속 일을 맡기

려 강권하셨으나 겨우겨우 사양하시고 퇴임하신 직후였다. 같은 직장 동료 S 위원의 부부도 같이 가기로 이야기가 되었다가 중간에 사정이 여의치 않아 두 부부만 가게 되었다. 누님께도 방문 일정을 알려드리고 재스퍼를 거쳐 밴프까지 다녀오는 캐나다 로키 방문을 하러 같이 가실 것인지 여쭈어보았지만 최근 다녀오신 적이 있었고 다른 여건상 여의치 않아 밴쿠버에 머물 때 누님댁을 방문하는 것으로 만족하여야 했다.

밴쿠버 공항에서 렌터카를 빌려 캠룹스> 재스퍼> 레이크 루이스> 밴프> 밴쿠버로 돌아오는 것으로 일정을 짜고 머물 곳 인근 숙소는 인터넷 숙박 포털 사이트를 통하여 예약하였다. 밴쿠버로 돌아오는 날 밴프에서 곧장 하루 만에 오는 일정이라 무리가 될 것 같아 보였지만 두 사람이 번갈아 가며 운전하니 가능하리라 생각하여 다소 무리하게 계획을 세웠다. 한 사람이 운전하는 것이라면 너무 무리한 일정이었다.

드디어 장시간을 거친 비행 끝에 우리 항공기는 정오 무렵 밴쿠버 국제공항에 도착하였다. 누님과 매형께서 반갑게 맞이해주시고, 아이스박스, 김치와 간식거리, 휴대용 가스레인지와 그릇 등을 한가득 준비해 오셨다. 누님 내외의 사랑과 자상함에 취할 겨를도 없이 우린 렌터카 사무소로 달음질하듯 서둘러 갔는데 당일 차로 네 시간 정도 걸리는 캠룹스까지는 가야 하였기 때문이었다.

차량은 원래 세 부부 6명이 여행할 것을 고려해 GMC에서 나오는 대형 SUV인 Yukon XL을 예약했었는데, 한 부부가 동행하지 못하여 더 작은 차량으로 바꾸려 했다가 그대로 진행하였다. 해당 렌터카 사무소에서 차량 인도를 받으러 갔더니 큰 차를 빌렸다고 놀라워해서 순간 잘못 선택하였나 하는 생각이 들었는데, 열쇠를 받고 대기 중인 차량으로 갔을 때 우려가 현실로 드러나는 듯했다. SUV가 아니라 탱크 같은 느낌을 주는 막강한 차량이었다. 차량 선택을 잘못한 것만 같아 내색은 못 하겠고 속으로 얼굴이 화끈 달아오르며 낭패란 생각이 드는데, 이 차를 어떻게 운전하고 다닐까 걱정이 몰려왔다. 더군다나 우리나라 차량과 여러 가지로 부속장치도 사용 패턴이 달라 패닉의 찰나를 경험하던 중 연료탱크 여닫이 버튼을 아무리 찾아도 차 안에 보이지 않았다. 연료가 다 떨어져 갈 때 당황하지 않으려면 미리 알아 두어야 하는데 렌터카 직원이 지나가는 것이 보여 머리가 새하얘진 채 물어보니, 별것을 다 묻는다는 표정으로 연료 주입 탱크를 손으로 한번 눌러주자 싱겁게 주입부 커버가 개방되고 그는 뒤도 돌아보지 않고 가버렸다. 역시 선진국답게 차량 연료 절도 가능성조차 고려하지 않는 사회인가 하며, 이 탱크 같은 차량을 드디어 움직여 보았다. 누님 내외께 돌아와 뵙겠다고 인사드리고 흥분되는 여정을 향하여 출발하였다. 차량을 운전해 보니 점차 익숙해져 가고 탑승하신 분들도 차체가 커서 여행 내내 편안하였다고 두고두고 좋아하셨다.

 밴쿠버시 주변을 빠져나가는데 곳곳에 정체 구간이 있어 다소 마음이 급해지긴 하였는데 외곽으로 나오니 도로는 이내 한산해지고 브리티시 컬럼비아 주를 남서에서 동쪽으로 가로지르는 코키할라 고속도로를 따라 호프(Hope)와 메릿(Merritt)을 경유하여 목재의 도시이자 캐나다 중서부 지역 교통의 중심지인 캠룹스(kamloops)에 도착하였다. 이곳에 모텔을 잡았는데 차를 타고 지나가는 사람들이 잠시 묵는 숙소로 그야말로 잠만 자고 갈 정도의 초라한 숙소였다. 그래도 우리는 누님이 싸주신 김치와 한국에서 가져온 햇반과 김, 그리고 레토르트 육개장을 커피포트를 사용하여 덥혀서 먹었는데 여정의 피로 때문인지 이내 곯아떨어졌다.

캠룹스 가는 도중 로키산맥에 도달하지 않았는데도 곳곳에 수려한 경관들이 펼쳐지고 있었다.

둘째 날과 셋째 날은 재스퍼 인근 힌튼(Hinton)에 숙소를 정하였다. 재스퍼는 숙소가 이미 대부분 예약되었고 예약 가능한 숙소들은 우리에게는 초고가의 숙소들인 관계로, 불편하더라도 훨씬 저가인 좀 떨어진 힌튼이라는 인근 마을에 모텔에 숙소를 예약하였는데, 나중에 그곳에 머물고 느낀 것인데 이 선택은 너무나도 잘한 일이었다. 지금 다시 방문할 계획을 세우라고 해도 심지어 비용이 재스퍼 숙소가 더 저렴하더라도 힌튼에 숙소를 정하겠다. 재스퍼에서 힌튼에 오가는 길의 아름다움이 이루 말할 수 없었기 때문이다.

# 14. 三顚四起(삼전사기) 캐나다 여행 II.
## 롭슨 산과의 조우

둘째 날의 첫 일정은 재스퍼에서 마제스틱산(Majestic Mt.) 산자락에 있는 인디언 리지 중턱의 위슬러스 피크(Whistlers peak)에 오르도록 Jasper Skytram을 타는 것이었는데, 성수기에는 매표하느라 장사진을 이룬다는 이야기를 들은 적이 있어 인터넷으로 오후 2시 편을 예약해 두었었다. 20분 전에는 오라는 안내문에 따라 일정을 맞추려니 캠룹스에서 차로 5시간 정도 걸리는 것으로 되어 있어 점심 식사 시간도 고려하여 아침 7시 40분에 출발하였다.

한참을 달려갔을 무렵 점차 도로변의 풍광이 범상치 않더니 마침내 재스퍼 도착 한 시간 정도를 앞두고 우린 차를 세우지 않을 수 없었다. 난생처음 보는 장대한 산이 앞을 가로막고 있었기 때문이었다. 우리 여행 일정에 전혀 고려하지 않았던 지점이었는데 귀국하고 나서 사진을 정리하면서 비로소 이 산이 롭슨(Robson) 산이라는 것을 알게 되었다. 우리가 압도되었던 것이 이상한 일이 아니었던 것이 이 산이 3954m 높이로 로키산맥의 최고봉이었던 것이다.

수평 이판암 지층으로 되어 있어 그런지 산 중턱 이상 부위에

층층이 눈이 횡으로 쌓인 모습이 낯선 풍경을 자아내었다. 사진 몇 장을 기념으로 찍는 것 외에는 더 할 수 있는 것이 없었는데, 재스퍼에 도착해야 할 시간이 다 와 가고 있었고 이 장대한 산에 대해 사전에 알아 둔 것이 너무 없었기 때문이었다. 구름으로 정상이 보이지 않았는데도 보이는 부분만으로도 위압감이 느껴지니 날씨가 맑은 날이면 어떨까 하고 다시 가보고 싶은 마음을 불러일으키기에 충분하였다.

> 이스라엘아, 네 하나님 만날 준비를 하여라. 이는 그가 산들을 짓고 바람을 창조하며 사람에게 자기 생각을 알리는 이 아침을 어둡게 하고 땅의 높은 곳들을 밟고 다니는 이인 까닭이라. 그 이름은 여호와 만군의 하나님이라!  아모스 4:12上-13

사진상으로는 앞에 보이는 롭슨 산의 장엄함이 다 표현되지 않는다. 우린 이 산의 위용에 압도되지 않을 수 없었다.

롭슨 산과의 조우를 뒤로하고 재스퍼에 도착하니 의외로 시간이 남아 피라미드 산에 들렀다가 스카이트램을 타기로 하였는데, 피라미드 산은 그 모양을 따라 지어진 것으로 2,766m의 높이에 호수를 끼고 있는데, 가는 길에 자작나무 숲이 있어 가슴을 설레게 하는 이국적 풍경을 품고 있었다. 하지만 남들이 운전 중에 길가에서 흔히 보았다는 사슴, 엘크나 곰은 하나도 보지 못한 채 피라미드 호숫가에 다다랐다.

피라미드 호수 뒤로 피라미드 산이 보인다. 다음 날 아침에 본 동쪽 측면의 모습에서는 눈이 녹지 않아 눈 덮인 피라미드산의 모습을 볼 수 있었다.

6월 초의 호숫가는 적막한 풍경이었다. 멀리 호수에 작은 배 두어 척에 노 저어 가는 사람들이 보일 뿐이었다. 호숫가 산책로를 따라 걷다 보니 가야 할 시간이 다 되어 서둘러 주차한 곳으로 향하는데 빗방울이 간간이 쏟아져 발걸음을 재촉하였다. 호숫가 산책에 다소 여유를 부렸던 탓인지 겨우 시간에 맞추어 트램 주차장에 내린 우리는 탑승장을 향해 달려갔는데 헐레벌떡 서두른 것 치고는 탑승장은 그리 붐비지 않았다.

아직 본격적인 성수기에 접어들지 않은 탓이었는데 덕분에 다소 한가히 트램을 타고 위슬러스 피크에 도착하였다. 세계 3대 스키장 중에 하나가 있는 캐나다의 유명한 위슬러산(Mt. Whistler)과는 다른 곳인데 이름이 유사하여 혼돈을 주었다. 위슬러는 캐나다 산악지대에 사는 마못이 짝짓기 시기에 휘파람 소리를 내는 것을 따서 지은 지명이라고 하는데, 바로 그 마못들인지 모르겠지만 여기서도 땅다람쥐 같은 귀여운 녀석들이 무리를 지어 여기저기 돌아다녔다.

스카이 트램의 상부 도착지가 멀리 보인다. 길은 위슬러 피크로 난 길이다. 고도가 높아서인지 좀 걸어도 숨이 차게 느껴졌다.

계획상으로는 위슬러스 피크까지 올라가 보는 것이었으나 상층부는 눈이 녹지 않은 곳도 있고 고도가 높아서인지 조금 걸어도 숨이 찬지라 트램 상부 도착지와 위슬러 피크 중간 정도에서 발길을 돌이켰다. 그러고 보니 좀 전에 보이지 않던 것들이 눈에 들어오기 시작하였다. 여기저기 핀 야생화들이 연노랑과 연분홍색을 띠고 은은히 겸손하고 다정다감하게 피어 있었다. 강풍이 항상 불어서 그런지 아주 자그마한 몸짓으로 서로 부둥켜안듯 옹기종기 모여 피었다.

그리고 여기저기 우리나라 다람쥐보단 좀 더 크고 풍성하게 생

파푸스

긴 땅다람쥐 같은 녀석들이 서너 마리씩 몰려다니며 장난을 치다 우릴 쳐다보곤 하였다. 이 녀석들이 위슬러란 이름의 기원이 된 그 마못들일까? 알려줄 사람이 없으니 우린 그저 그러려니 하고 여기저기 둘러보는데 산등성 한 쪽면에는 눈이 덮인 급경사면이었고 그 너머로 재스퍼 시가 멀리 보였다. 바람이 강해 자칫 급경사면으로 발을 헛디뎠다가는 생각하기도 끔찍한 일이 벌어질 것 같아 산등성이 안쪽으로 일찌감치 발길을 돌렸으나 일행은 급경사 바로 곁에서 이야기를 나누고 계셨다. 어서 이쪽으로 오라고 애타게 불러도 들은 척도 안 했다. 간이 커도 이만 저만 큰 것이 아니네 하며 혼자 큰 바위 곁에 앉아 있으니 그제야 이쪽으로 오신다.

독수리 한 마리가 상승 기류를 타고 솟구쳐 올라왔다. 이렇게 지척에서 독수리를 보다니, 캐나다의 자연이 놀랍기만 했다.

산 능선 너머는 눈 덮인 절벽이었다. 나는 아찔하여 산등성이 길 안쪽으로 돌아왔으나 일행은 그곳에 머물러 담소를 나누고 있었다. 강풍에 날아가기라도 하면 어쩌려고 그러는지....

스카이 트램에 내려 위슬러 피크로 가는 길 도중 멀리 재스퍼 시
내가 보인다. 애써배스카강이 옥색 빛을 띤 채로 재스퍼 시내 옆
으로 흐르고 있다.

이 작고 귀여운 다람쥐 같이 생긴 것이 휘파람소리를 내는 마못
일까? 이들이 내는 소리에 따라 위슬러스 라는 이름이 생기게
한....

파푸스

야생화들은 종류도 다양해 보인다. 연노랑에 연분홍색 자그마한 야생화들이 다소 황량할 수 있는 산 중턱 풍경을 따스하게 해준다.

저녁 식사는 사전에 인터넷으로 예약을 해둔 피들 강 식당(Fiddle River Restaurant)에서 저녁 6시에 하기로 하였는데 식사 후 힌튼으로 가는 길이 8시가 다 돼가는데도 대낮 같아 시간을 더 버는 듯한 착각을 주었다. 캐나다에서 제대로 된 식당에서 하는 첫 식사라 기대를 잔뜩 하였는데 무엇을 시킬지 몰라 버벅거리고 있는 우리를 접대하는 할머니께서 보시더니 우리가 고르는 음식의 양이 많다며 과감히 음식 추천과 더불어 가짓수까지 정리해 주셨다. 분명 할머니였는데 우리보다 더 건강해 보이셨고 마른 편이신데도 팔뚝 근육이 암벽등반가 같이, 보통이 아니게 보였다. 음식은 우리 입맛에 적절했다. 숙소가 차로 50

산기슭 이곳 저곳에 이름 모를 작은 야생화들이 피어있다.

여 분 걸리는 힌튼에 정한지라 재스퍼 시내를 돌아볼 생각을 하지 못하고 숙소로 향하였는데 예상외로 날도 대낮같이 밝았고 경관도 빼어났다. 앞서 언급했지만, 이곳에 숙소를 정한 것에 대해 정말 잘했다는 생각이 절로 들었다.

8시 다 되가는 시간에 재스퍼에서 힌튼을 향해 가는 도중 만난 풍광으로, 멀리 보이는 산은 어느 위대한 미술가의 작품과 같아 보였다.

파푸스

숙소는 화려하진 않았지만 청결하고 단순하여 마음에 꼭 들었다. 저녁에 캐나다의 청명한 밤하늘의 별들을 보고자 하는 열망은 매번 실패로 돌아가고 말았는데, 온종일 강행군을 하여서인지 쓰러지면 다음 날 아침이었다.

힌튼으로 가는 길, 차창 옆으로 보이는 풍광은 예사롭지 않았다. 멀리 보이는 연회색의 높이 솟은 산봉우리와 초록빛 초원과 하늘을 향한 나무들과의 이국적 풍경에 취하며 힌튼으로 향했다.

# 15. 三顚四起(삼전사기) 캐나다 여행 III.
## 아쉬운 스피릿 아일랜드

 셋째 날은 힌튼에 여전히 본거지를 둔 상태에서 재스퍼 인근을 돌아보기로 하였다. 멀린 협곡(Maligne canyon)과 메디슨 호수(Medicine lake)와 멀린 호수(Maligne lake) 세 곳을 하루 만에 돌아볼 예정이었다. 조식이 포함되어 있어 식당 개방 첫 시간에 맞춰 부지런히 달려가서 보니 빵, 과일, 음료, 요구르트, 즉석 제조 와플이 먹음직스럽게 준비되어 일행 모두 감사하게 여기며 또 다른 강행군 일정을 대비하여 든든하게 먹고 출발하였다.

 먼저 멀린 협곡에 첫 번째 다리 근처에 있는 주차장에 주차한 후 계곡을 따라가며 걸었는데 오래전 플랑크톤의 산물이 만들어낸 석회암에 형성된 동굴의 상층부가 침식 작용으로 소실되고 계곡처럼 남게 되었다는 지질학적 설이 있다고 한다. 이 설이 사실이라면 세월은 동굴의 상층부 반쪽을 날려버리고 그 아래 반쪽을 우리에게 보여주고 있는 셈이었다. 계곡은 좁고 깊기도 해서 물은 급하게 큰 소리를 내며 흘러내려 가는데 이 계곡을 따라 산책로가 나 있고 총 6개의 다리가 놓여있어 이 6개의 다리를 다 건너는 것이 멀린 협곡 트레일 코스의 완성도 높은 일주 코스이나, 오늘 두 곳을 더 들려야 하는 일정을 소화하기 위해 우린 4번째 다리에서 돌아오기로 하였다.

멀린 협곡(Maligne Canyon)의 격류

 멀린 협곡의 굽이굽이 난 산책길을 걸으며 주변의 자연이 빚어
낸 멋진 풍광을 누리며 도란도란 이런저런 이야기를 나누었다.
깊은 협곡 아래 맑은 계곡물은 세찬 흐름과 이에 걸맞은 큰 소리
를 내며 격한 흐름으로 흐르고 있었다. 군데군데 아직 미처 녹
지 않은 눈이 지난 겨울의 발자취를 슬쩍 보여준다. 부리부터 온
통 검은, 깃털은 윤기 나는 진한 검은 색의 새가 계곡 주변 나뭇
가지에 앉아 있었는데 우리나라와는 사뭇 다른 격조 있는 까마
귀였다. 이곳에 검은 칼새(black swifts) 서식지가 있다고 해서
혹시나 했는데 그냥 까마귀였다. 보니 주차장까지 오게 되었다.

멀린 협곡 내 작은 폭포

　메디슨 호수를 향해 가는 길가엔 화재의 흔적으로, 을씨년스러
운 풍광을 자아내는 불에 그을린 나무들의 숲이 보였지만 이내
초록색 야산과 초지도 보이는데 한적한 도로 앞쪽에 차들이 몰
려 서행하고 있었다. 이 한적한 길에 무슨 교통체증인가 싶었는
데 좌측 길 가에 곰 한 마리가 어슬렁거리며 먹잇감을 찾고 있
는 것이 보였다. 드디어 길가에서 곰을 본 것이다. 다들 신기해
하며 어린아이들같이 좋아하다, 곰과의 조우를 뒤로하니 어느
덧 메디신 호숫가에 도착하였다. 메디신 호수의 이름이 붙여진
것은 원주민들이 이 호수를 영의 호수(the lake of the spirit)라
는 뜻의 MDE Wakan을 줄여서 부른 이름이라는 설이 있고 빙하
가 녹은 물이 가을이 되면 홀연히 마술과 같이 사라진다고 해서

과거 마술과 의술이 혼합된 개념으로 여겨지던 시절의 명칭으로써 메디신 호수라고 불렸다는 설도 있다.

메디신 호수(Medicine lake)로 가는 길. 화재의 상흔이 을씨년스런 풍경을 만들어 주고 있었다.

캐나다 여행에 드디어 첫 번째로 길가에서 만난 야생동물, 곰

　메디신 호숫가에는 사람들이 여럿 여기저기 모여 있었는데 무언가 분위기가 다소 심상치 않았다. 약간의 긴장감이 도는 야릇한 분위기가 감지되는데, 국립공원 관리자들이 호숫가 주위로 내려가는 길을 임시로 차단하고 사람들에게 내려가지 말라고 안내하고 있었다. 우리가 다가가니 그들은 땅에 떨어져 있는 초록빛 진흙 덩이 같은 것을 손으로 가리키며 곰의 배설물이라고 알려 주었다. 사람들이 재미있다는 듯이 깔깔거리며 서로 무어라 흥분돼서 이야기하는데 호수가 주변으로 엄마 곰이 새끼 곰두 마리를 데리고 지금 먹이활동 중이라고 하였다. 이들이 멀어질 때까지는 내려가지 말라는 것이었다.

메디신 호숫가를 엄마와 아기 곰이 먹이를 찾아 배회하고 있다.

메디신 호수 ; 여름엔 호수가 물로 가득차있지만 가을이 되면 홀연히 사라진다고
해서 연관되어 이름이 지어졌다고 한다.

또 바로 옆에는 금발의 앳된 국립공원 여직원이 웃으며 단안 줌 망원경을 가리키며 들여다보라고 하였다. 대학생 정도의 나이로 보이는 앳된 친구였는데 무언가 흥분되어 얼굴에 홍조를 띠며 우리에게 무언가를 보여주고 싶어 하였다. 곰을 보라는 줄 알고 보았더니 멀리 나무 위 흰머리수리 둥지에 초점이 고정돼 있었다, 자세히 들여다보면 독수리 새끼들이 보인다며 진지하고 신기하다는 듯 말해주었다. 이 주변을 관리하며 매일 보는 광경일 텐데 이렇게 마치 처음 발견한 듯 진지하게 대하는 이들의 태도가 신선하게 느껴졌다. 우리 같으면 이내 식상해하고 흥미를 잃을 법도 한데 말이다. 캐나다를 여행하며 내내 느낀 것은 이곳 사람들은 참으로 자연을 사랑하고 누리고 있다는 것이다.

메디신 호숫가에 흰머리수리가 둥지를 틀었다. 자세히 보면 새끼 두마리가 보인다.

재스퍼만 해도 2019년 재스퍼 보고서에 따르면 250만 명의 관광객이 다녀갔다고 하는데 고층 호텔 하나 없는 자그마한, 한국으로 치면 읍소재지 정도 규모로 보였다. 개발을 하려 치면 이정도 규모로 만족스러울 리 없건만 캐나다 사람들은 백 년 넘게 이런 상태를 유지하고 있다.

> 마치 독수리가 자기 둥지를 뒤흔들고는 자기 새끼들 위를 맴돌다가 날개를 펼쳐 새끼들을 받아 그 날개 위에 태우듯, 여호와께서 홀로 그를 인도하셨으며 그분과 함께한 다른 신은 없었다네. 신명기 32:11-12

자연과의 긴장되고 흥분된 순간을 뒤로하고 우리의 오늘의 마지막 여정지인 멀린 호수를 향하였다. 빙하가 녹은 물로 형성된 세계적인 규모의 호수라고 하는데 점차 하늘은 흐려지고 간간이 가는 빗방울이 떨어지다 말다 하였다. 재스퍼 사람들이 사랑하는 아름다운 호수 멀린에는 숨겨진 명소 스피릿 아일랜드(Spirit island)가 있다.

그곳에 가려면 배를 타야 했으므로 표를 구매하였는데 빗방울도 잦아들었고 승선 전까지 시간이 넉넉하여 우리 일행은 호수가 주변을 걷기로 하였다. 고즈넉한 호숫가 산책로를 따라 걷다 보니 작은 이름 모를 새들이 주변에 날아다니는데 한적한 고요함이 우리 마음에 평온하게 다가왔고 생동감 넘치는 새들의 움직임은 자칫 가라앉을 수도 있는 분위기를 생동감 있게 만들어

주었다.

이마와 가슴 쪽에 샛노란 포인트를 준 작은 숲새가 반가이 우릴 맞이해주었다.

배편으로 스피릿 아일랜드 가기 전 시간이 남아 호숫가를 산책하기로 하였다.

걷다 보니 출발 시간이 다 되가 선착장으로 향하였다. 스피릿 아일랜드는 멀린 호수 선착장에서 배로 40분 걸리는 거리에 있는데, 영감을 불러일으킬 만한 아름다운 장소로 섬에 도착하면 일반 방문은 15분, 프리미엄 방문은 30분 정도 머물다 돌아와야 할 정도로 강한 규제로 보존하고 있는, 캐나다 사람들이 사랑하는 지역이다. 구름이 잔뜩 낀 날씨에 고요한 호수를 가로질러 가는데 호수에는 드문드문 보트를 타는 사람들이 보였다.

멀린 호수(Maligne Lake)에서 보트를 타고 자연을 만끽하는 사람들이 저 멀리 보인다.

섬에 도착하였을 때 우린 15분 내 돌아와야 했으므로 서둘러 가장 멋진 경관을 볼 수 있는 곳으로 향하였다. 호수의 물은 에메랄드 빛으로 신비로운 배경을 제공하고 봄에 녹아내린 눈으로 수위가 올라갈 때 잠시 섬이 되지만 그 외 시기는 사실상 육지와 연결된 섬 아닌 섬의 경관의 아름다움에 감탄하며 사진을 몇 장 찍다 보니 뱃고동 소리가 울렸다. 얼른 돌아오라는 것이었다. 너무나 짧은 시간에 아쉬움이 컸지만, 이곳을 아끼는 이 지역 주민의 마음을 존중하며 발걸음을 돌이켰다.

멀린 호수에서 개인적으로 빌리는 보트를 타는 곳.

캐나다 명소 중 한 곳으로 손꼽히는 스피릿 아일랜드의 전경, 섬 주위 에메랄드빛 호수가 신비롭기만 하다. 자연환경 보존을 위해 15분 정도 머물고는 떠나야 했다. 사진 찍다 보니 시간은 다 흐르고...

 배로 돌아와 주변을 돌아보는데 수목들 주변에 이름 모를 아름다운 새들이 우릴 반겨주었다. 새들은 일정 거리 이상 절대로 가까이 오는 것을 허락하지 않고 조금이라도 그 한계를 넘어 다가가면 날아가 버리곤 하는데, 이곳 새들은 한국에서보다 거리를 조금 더 허락해준다는 느낌이 들었다. 오늘의 일정을 마무리하라고 재촉하듯 빗방울이 굵어져 가고 오후 늦게 갑자기 몰아닥친 모기떼로 우린 피난 가듯 숙소로 향하며 오늘의 일정을 마무리하였다.

# 16. 三顚四起(삼전사기) 캐나다 여행 IV.
## 신비로운 페이토 호수

넷째 날은 힌튼을 떠나 재스퍼를 경유해서 아이스필드 파크웨이(Icefields Parkway)를 따라서 루이스 호스까지 가는 여정이었다. 가는 도중 애써배스커 폭포(Athabasca Falls)와 페이토 호수(Peyto Lake)를 들렸다가 저녁 식사는 저녁 6시 레이크루이스 레일웨이 스테이션 레스토랑에서 하도록 예약해 놓았다. 앨버타 소고기 AAA 등급 스테이크를 먹는 것을 이번 여행의 우리의 최대의 호사로 삼았다. 지금 시세로 5~6만원 정도하는 가격이었는데 품질에 비하면 과도하게 비싼 편은 아니었다.

아침 일찍 힌튼을 떠나 재스퍼로 가는 길은 아름답기 그지없었다. 기온은 10도 안팎으로 쌀쌀한데 피라미드 산의 동쪽 측면이 보이는 애써배스커 강이 호수처럼 넓게 퍼진 재스퍼 호수 모래언덕 (Jasper Lake Sand Dunes) 지역에 이르렀다. 눈이 채 녹지 않은 피라미드 산의 정상의 모습을 배경으로 강과 강가의 미송, 전나무와 가문비나무들이 하늘을 향해 솟아 있는 산림의 모습이 너무나도 아름다워, 보온병에 담아 간 뜨거운 물로 커피를 타서 이 멋진 장면을 감상하자고 하였는데 아내와 방 여사님은 춥다고 막무가내로 차 안에서 내리지 않으시겠다고 하신다. 할 수 없이 곽 교장 선생님과 나만 내려 뜨거운 커피와 차지만 맑고 신선한 공기와의 오묘한 조화를 누리며 호숫가 전경을 바라보면서 모닝커피 시간을 즐기니 호화로운 별장을 지닌 부호가 부럽지 않았다.

멀리 눈이 덮인 피라미드 산이 보이고 아침의 신선한 공기로 가득찬 호숫가의 모습은 적막하기만 하였다. 이 광경을 바라보며 모닝커피를 마시니 부호의 별장이 부럽지 않았다.

모닝커피의 호사를 마음껏 누릴 즈음에 찬 공기와 남은 일정이 우릴 차 안으로 밀어 넣었다. 아내와 방 여사님께서는 그때까지도 말씀을 나누고 계셨는데 여행 내내 도란도란 많은 이야기를 주고받았다. 해도 해도 이야기는 그치지 않았다. 곽 교장 선생님과 방 사모님 부부는 우리와 같이 교회 생활하고 계신 분인데 나의 아내가 어려움을 통과할 때 사랑 안에서 큰 도움을 주신 분들이었다. 오랫동안 강북에 살고 있었던 우리로서는 두 사람이 버는 월급에 비교할 수 없을 정도로 증가하는 부동산 광풍에, 아내는 불안감을 느꼈고 알지도 못하는 부동산 세계에 발을 내디뎠다가 기획부동산의 덫에 걸려 투자한 돈을 거의 다 날릴 위기에 처하게 되었다. 그때 정신적 고통과 공황 수준의 불안감이 아내에게 찾아왔으나 방 여사님, 우린 방 자매님이라 부르는데(교회 생활에서 주 예수님을 믿음으로 하나님의 생명으로 다시 태어난 사람들을 생명의 근원이 같으므로 서로 형제자매라고 칭한다), 방 자매님께서 당시 사랑 안에서 나의 아내를 감싸 주시고 믿음이 증가하도록 지지해 주셨으며, 아내가 너무 힘들어 밤낮 시도 때도 없이 전화해도 항상 전화를 받아주시고 함께 기도해 주시곤 하셨다. 나중에 안 일인데 방 자매님은 불필요한 외출을 일체 자제하신 채 집에서 대기하다시피 하셨다고 한다. 그 덕분에 나의 아내는 하나님의 말씀과 기도를 통해 서서히 그 긴 암흑의 터널을 벗어날 수 있었다.

당시의 긴 기간이 우리에게 큰 고통의 시간이었지만 우리가 깨달은 것은 하나님은 사람을 축복하시고 가장 좋은 것을 주시기 원하는 분이시라는 것이다. 바로 하나님 자신을 말이다. 그것을 위해 하나님께서는 크고 작은 일들이 우리에게 일어나는 것을 오늘도 허락하고 계신다. 그러나 잊지 말자, 그 일들은 주제(主題)가 아니라 소재(素材)들이며 주제는 하나님과 사람의 정상적인 관계의 회복이라는 것을.

"아론과 그의 아들들에게 말하여라. 너희는 이스라엘 자손을 축복하며 그들에게 이렇게 말해야 한다. '여호와께서 그대에게 복을 주시고 그대를 지켜 주실 것입니다. 여호와께서 그대에게 그분의 얼굴을 비추시고 그대에게 은혜를 베푸실 것입니다. 여호와께서 그대에게 밝은 표정을 하시고 그대에게 평안을 주실 것입니다.' 그들이 이렇게 내 이름을 이스라엘 자손 위에 두면, 내가 직접 그들에게 복을 주겠다." 민수기 6:23 -27

 아침을 쾌적하게 시작하고 계속 차를 몰고 재스퍼를 향해 나아가는데 좌우의 풍광이 아침 햇살을 받아 장엄하기까지 하였다. 우측 산기슭에는 무지개가 우리의 오늘의 여정을 축하해주듯 서 있었다.

길가 강 건너편 산 중턱에 무지개가 우리의 일정을 축하해주고 있었다.

재스퍼를 뒤로하고 루이스 호수를 향해 아이스필드 파크웨이를 따라 남쪽으로 향한 길은 말로 표현할 수 없이 광대하고 장엄하고도 아름답고 압도적인 풍광을 끊임없이 자아내고 있었다. 어딜 보아도 그림과도 같은 풍경들이 끊이지 않고 이어지는데 가도 가도 이런 풍경은 다할 줄 몰랐다. 캐나다, 로키 이것이 너구나.

아이스필드 파크웨이를 따라 루이스 호수 방향으로 가는 길은 놀라운 풍광이 끊이지 않는다.

6월 초인데도 대부분의 높은 산들은 눈으로 그것도 빙하로 덮여있었다.

아이스필드 파크웨이를 따라가는 길, 끝도 없이 펼쳐지는 아름다운 풍경들의 연속이었다.

주변 경치에 감탄하며 가다 보니 첫 번째 경유지인 애써배스커 폭포에 도착하였다. 폭포는 애써배스커 강의 거대한 흐름을 그대로 받아 굉음과 함께 쏟아져 내려가고 폭포 주변 커크슬린 (mt. Kerkeslin) 산은 구름 목도리를 둘렀다. 폭포 주변을 걷는데 크나큰 물소리가 그치지 않고 우릴 따라다녔다.

애써배스커 폭포, 주변 커크슬린 산은 추운지 구름 목도리를 둘렀다.

애써배스커 폭포 주변을 가볍게 산책한 후 다음 목적지인 페이토 호수 인근 보우 써밋(Bow summit)을 향해 서서히 올라가는데 난데없이 눈발이 날리기 시작했다. 페이토 호수로 가는 길은 경사진 길이라 들었는데 눈에 대한 대비책이 없던 우리는 난감할 수밖에 없었다. 겁이 덜컥 난 나는 페이토를 지나쳐 가자고 하였으나 아내는 무슨 소리냐고 갈 수 있는 데까지 가자고 주장하였다. 눈에 대처할 길이 없던 나로서는 속으로 아내의 대책 없어 보이는 주장에 다소 화가 나기 시작했지만 그 말을 받아들이고 계속 운전해 나아갔는데 눈발은 더 굵어져 갔다. 그런데 바로 그 순간 앞에 페이토 호수 주차장이 눈앞에 나타나니 모든 불안감은 순식간에 사라져 버렸다. 아내의 말을 듣지 않았으면 크게 후회할 뻔했는데 페이토 호수의 모습은 상상 이상의 것이었다.

페이토 호수의 아름다운 모습. 주위 산이 구름과 안개에 휩싸여 있다.

주차장에는 이미 많은 차들이 세워져 있었고 차들이 들고 나며 부산한 모습을 보였다. 주차장에서 호수로 난 길을 향해 올라가는데 주변엔 눈이 쌓이기 시작했다. 6월에 눈이라니, 눈 내린 길을 운전할 때 걱정은 나중에 하기로 하고 우린 발길을 재촉했는데 내리던 눈이 그치면서 눈앞에 페이토 호수가 갑자기 펼쳐졌다. 그런데 대부분 재스퍼의 호수들이 녹색 옥빛을 띠는 데 반해 이 호수는 어느 화가가 파란색 물감으로 도화지에 잔뜩 칠하려고 물감을 풀어놓은 듯했다. 이런 물색은 처음 보는 것이었다, 어떻게 호수의 물색이 이처럼 파랄 수 있을까?

페이토 호수의 전경, 파노라마 뷰로 촬영해보았다. 우측 끝이 혹자는 곰 발바닥 같다고 하지만 내 눈에 오리발 같아 보였다.

호수의 물색을 줌인해서 보았다. 사진은 원래 호수의 색을 다 반영해주지 못한다.
깊은 파란색이 신비롭기만 했다.

파푸스

페이토 호수를 감상하고 내려왔는데 쌓였던 눈은 거의 다 녹아 내렸고, 예상보다 시간이 많이 남았다. 우린 예정에 없던 에메랄드 호수에 들리기로 하였다. 레이크루이스에 거의 다 간 지점에서 우측으로 빠져나가 필드(Field) 쪽으로 가다가 요호(Yoho) 국립공원으로 가다 보면 마폴 산(mt. Marpole) 기슭에 에메랄드색의 호수가 나타난다. 호수는 아담한 크기로 주변 산과 나무와 어울려 평온한 느낌을 주었다.

요호 국립공원 내 위치한 에메랄드 호수, 시간이 남아 예정에 없었지만 들리고 나니 잘했다는 생각이 들게 하였다.

에메랄드 물빛을 뒤로하고 예약한 숙소로 가서 방을 배정받고 짐을 옮겨 놓으니 마음이 한가해졌다. 저녁 식사 예약 시간이

한 시간가량 남아 레이크 루이스 레일웨이 스테이션 레스토랑 앞, 밴프(Banff)에 도달하면 강줄기가 되지만 여기선 큰 개울 수준인 바우 강 기슭을 걷다 숲 속 오솔길로 들어섰는데 한참을 걸어도 우리밖에 없어 겁이 덜컥 났다. 곰이라도 나타나면 어떻게 하지? 인기척이 없는 숲 속 오솔길을 걷는 것이 로키산맥 지역에선 두려움을 줄 만했는데, 사실 이 지역만 하더라도 상대적으론 사람들의 발길이 많이 닿는 곳인데도 내 마음은 편치 않았다.

레이크 루이스 레일웨이 스테이션 레스토랑 앞
산길을 따라 걸었던 길. 인적이 드물어 곰이 나
오는 것은 아닌지 걷는 내내 불안하였다.

파푸스

엣 레이크 루이스 기차역 유적지에서 기념사진을 찍었다. 저녁을 한 곳은 바로 근처에 있는 옛 역사를 식당으로 개조한 곳이었다.

다행히도 곰은 나타나지 않았고, 시간이 되어 그 레스토랑에 들어섰는데 기차 역사를 잘 보존하고 나름 고풍스러운 분위기로 식당을 꾸며 놓았다. 직원들도 밝고 친절하게 우릴 맞이해주었는데, 예정대로 스테이크를 시켰다. 방 자매님께서는 태어나서 지금까지 먹어본 스테이크 중에 제일 맛있다고 너무 좋아하셨는데 곽 형제님과 나의 아내는 점차 고향 입맛이 발동하기 시작하셨는지 나와 방 자매님만큼 좋아하진 못하였다. 다음 날은 모레인 호수(Moraine lake)와 루이스 호수(lake Louise)와 아그네스 호수(lake Agnes)를 둘러볼 예정이라 이곳 숙소에서 하루 더 머물 예정이어서 다시 한번 이 레스토랑에 오려고 예약을 다시 하였다. 방 자매님께서 어린아이처럼 좋아하시니 사랑의 빚을 조금이나마 갚은 듯해서 기뻤다. 이 여행 최대의 호사를 누린 우린 오늘의 일정을 마무리하였다.

# 17. 三顚四起(삼전사기) 캐나다 여행 V.
## 아그네스 호수에 올라

다섯째 날의 일정은 오전에는 모레인 호수(Moraine Lake)에 들려 주변을 산책한 후 오후엔 루이스 호수(Lake Louise) 근처 등산로로 미러 호수를 거쳐 아그네스 호수(Lake Agnes)에 올라 그곳 티하우스에서 커피를 마시는 것으로 잡았다. 티하우스는 그 홈페이지 설명에 따르면 "1901년에 캐나다 태평양 철도가 등산객을 위한 피난처로 지었으며 1905년에 차를 제공하기 시작했다."라고 하니 백 년을 훌쩍 넘긴 역사를 지니고 있었다. 2,135m 높은 산 정상에 있는 호숫가에서 '갓 구워낸 빵과 호숫물로 끓여낸 차'를 마실 수 있다니 이곳을 빠뜨릴 수는 없지 않겠는가?

첫 일정에 따라 아침 일찍 떠나 모레인 호수를 향해 차를 몰았다. 캐나다인들 중에는 사람마다 선호가 다 다르겠지만, 재스퍼와 밴프를 잇는 캐나디안 로키산맥 지역에서 수많은 관광객으로 항상 붐비는 루이스 호수보다 모레인 호수를 가장 아름다운 호수로 여기는 사람들이 꽤 있다고 들었다. 1969년에는 캐나다 20달러 화폐에 이 호수의 그림이 들어가기도 하였다고 하니 이 호수의 가치를 캐나다 사람들은 남다르게 생각하고 있는 듯하다. 모레인 호수는 오전에 들리는 것이 햇살의 방향을 고려하면 가장 아름답다고 하여 오전에 들리기로 한 것이었다.

모레인 호수에 도착할 무렵 도로 우측 편으로 높은 산이 보였는데 산봉우리 윗부분이 아침 햇살을 받아 금빛으로 빛나고 있었다. 나의 어리숙한 눈에는 금빛으로 빛나는 그곳을 파보면 금광석이 쏟아져 흘러 내려 올 것만 같았다. 그 산의 이름은 템플 산(mt.Temple)이었다. 그 모습이 기이하여 힐끗힐끗 바라보며 운전하다 보니 주차장에 다 달았다. 나중에 안 일이지만 관광 성수기엔 이곳에 주차할 엄두도 못 낸다고 하는데 우린 유월 첫 주라 그런지 원하는 곳에 주차할 여유가 있었다.

아침 햇살을 받아 템플 산봉우리 일부가 금빛으로 빛나고 있었다. 어리숙한 내 눈에는 혹 표면이 금광석들로 둘러싸인 것은 아닐까 할 정도로....

주차장을 뒤로하고 호수로 향하니 초입에 죽은 나무들이 떠내려와 댐을 이루고 있는 것으로 보였다. 마치 비버가 댐을 만들어 놓은 듯 말이다. 모레인 호수는 주변 10개의 산봉우리의 계곡으로부터 유입되는 물로 생긴 호수라고 하는데 호수 초입이라 그런지 우리 눈에는 봉우리가 10개까지 되어 보이지는 않았다.

주차장 쪽에서 걸어가 처음 접하는 호수의 풍광. 산봉우리들에 둘러싸인 모레인 호수가 보이고 비버가 댐을 쌓은 듯 호수 아래쪽에 죽은 나무들이 켜켜이 쌓여있다.

호수의 우측 편으로 나 있는 길을 따라 시계 반대 방향으로 호수의 풍경에 취해 가다 서기를 반복하며 길을 걸어가기 시작하였다. 좀 더 가다 보니 호숫가에 전망이 좋은 곳에 벤치와 함께 쉴 만한 곳이 보여 보온병에 담아 온 뜨거운 물로 커피믹스를 타서 풍경과 함께 마셨다. 오후에 아그네스 호수의 티 하우스에서 마실 것과 비교할 수 없으리라 마는 우리 모두에게 작은 행복과 평온함을 주기에 충분하였다. 하지만 아직 아침으론 쌀쌀하고 주변 산 중턱 너머 쌓인 눈들로 마음이 따사롭진 못하였다. 네 명이 함께 걸어도 차갑고 적막한 분위기가 쉽사리 녹아내리게 할 순 없었는데, 그래도 걷다 보니 호수의 끝자락까지 왔다.

모레인 호숫가 산책로 주변에 설치된 벤치에 앉아 따뜻한 커피에 풍경을 녹여 마셨다. 하지만 쌀쌀한 아침 공기와 녹지 않은 눈들로 마음은 쉽사리 따뜻해지지는 않았다.

호숫가를 따라 걷는 길이 정겨울 것 같으나 주변의 경관이 워낙 장대하고 아
직 눈이 녹지 않은 주변 산들의 모습으로 다소 을씨년스럽기도 했다.

모레인 호수 끝자락엔 맑은 물이 계곡에서 끊임없이 유입되고, 주변엔 죽은
나무들이 청정한 자연에 그로테스크한 분위기를 살짝 얹혀 놓았다.

주변 계곡으로부터 흘러내린 맑은 물들이 모레인 호수로 유입되고 있다.
멀리 계곡에 빙하가 보인다. 고도를 높인 햇빛에 눈이 녹아내리며 계곡의
물을 쉴 새 없이 흘려보내고 있었다.

맑디 맑은 호수의 물은 시야를 조금만 더 멀리 두어도 이내 옥색으로 변해갔다. 그런데 옥색이라 하기엔 좀 무리가 있는 것이 옥은 탁하지 않은가? 그런데 재스퍼와 캐나다 로키산맥에서 만나는 다수의 호수는 옥색을 띠지만 물은 투명하게 맑았다.

인상 깊은 장면들을 사진에 담다 보니 딱히 더 할만한 일이 보이지 않아 발길을 돌렸다. 점심을 하고 오후 루이스 호숫가 일정을 소화하기 위해서라도 발길을 재촉하였는데, 돌아오는 길에는 호수 위에 오리 몇 마리, 길가에 다람쥐들이 보이며, 다소 삭막해질 수 있었던 초여름 모레인 호수를 친밀하게 해 주었다.

모레인 호수에서의 오전 일정을 가벼운 점심으로 마무리한 후 루이스 호수로 향하였다. 그런데 다소 한가했던 모레인 호수 주차장과 비교해 루이스 호수의 주차장은 번잡하기 그지없었다. 지금까지 로키산맥 여정에서 제일 번잡스러웠는데 단번에 주차할 곳을 찾지 못해 한 번을 더 돈 후에야 겨우 주차할 곳을 찾을 수 있었다.

루이스 호수의 규모는 모레인 호수와 견줄 수 없는 압도적인 규모의 호수였다. 입구 쪽에는 페어몬트 샤토 루이스 호수 호텔이 웅장하게 들어서 있었고 호수 주변 둘레 길이 잘 닦여 있었지만 제한된 일정에 우린 루이스 호수 우측을 따라 점차 경사진 길을 따라 올라가는 길을 택하였다. 그 호텔에서 제공하는 애프터눈 티를 마시며 루이스 호수를 바라보는 멋진 일은 오늘 우리에게는 맞지 않는 호사였고, 예약도 하지 않은 터라 아예 우리 염두에 두지 않았다. 레이크 루이스에서만 온종일을 보낸다면 모를까. 우리는 오늘의 정점, 산 정상 호숫가에서 따뜻한 빵과 커피를 기대하면서 아그네스 호수를 향하여 발길을 돌렸다.

루이스 호수는 그 규모면에서 일단 모레인 호수를 압도하였다.

미러 호수를 거쳐 아그네스 호수에 이르는 산길을 오르며 숲 사이사이로 옥빛 루이스 호수와 그 주변의 장대한 산들을 감상할 수 있었다.

미러 호수 뒤쪽으로 비하이브가 보이고 곽 형제님과 방 자매님께
서 여기까지 올라온 기쁨의 표시를 발하고 계신다.

이번 여정에 우리에게 가장 길고 힘든 등산로였지만 이 이야기 저 이야기하다 보니 경유지인 미러 호수(Mirror Lake)에 도달했는데 숲속에 감추어져, 높은 나무들에 둘러싸여 있어서인지 고요한 수면으로 인해 '거울'이란 이름이 붙었나 보다. 호수 뒤로는 비하이브(the Beehive)가 우뚝 서 있었는데 이름에서 보듯 거대한 벌집처럼 보였다. 미러 호수에서 땀을 식히고 잠시 쉰 후 마지막 피치를 올리며 아그네스로 향했다. 우거진 숲속으로 난 길을 따라 굽이굽이 오르다 보니 작은 폭포수가 흘러내려 여기까지 올라온 노고를 위로해주는 듯했는데 곧 이어 바로 눈앞에 아그네스 호수가 펼쳐졌다.

바닥이 훤히 들여다보일 정도로 맑은 호숫물, 고도로 인해서인지 나무들도 듬성듬성 있었고 녹지 않은 눈으로 인해 차가운 느낌을 주는 풍경이었다.

일행과 함께 호수의 청량함과 6월에 만나는 겨울 풍경을 배경으로 사진을 찍고, 드디어 고대하던 티 하우스로 향하였다. 호숫가에 한 여성분이 주전자에 호수에서 물을 떠서 티 하우스로 올라가는 것이 보였다. 티 하우스 직원이었고 소문대로 호숫물을 직접 길어서 티를 끓이려는가 보았다.

티 하우스는 야외 오픈 테이블과 실내 좌석이 모두 사람들로 붐비고 있었다. 그런데 안내문에 티와 커피는 식사 주문한 고객에만 제공된다고 쓰여있지 않은가? 이럴 수가! 점심 식사를 이미 하고 올라온 우리로서는 크나큰 실망을 할 수밖에 없는 안내문이었는데, 음식을 주문해서라도 빵과 커피를 마셔보자는 나의 외침은 매우 현실적이고 실재적인 나의 아내에 가로막혀 아무런 효력을 발휘하지 못하였다.

이번 여행의 가장 우아해야 할 장면이 눈앞에서 사라져 버린 허탈함을 안고 화장실을 찾았다. 티 하우스에서 다소 떨어진 화장실에 갔다 오는데 나무에서 짙은 파란색인 듯 코발트색의 아름다운 새 한 마리를 발견하였다. 아마도 스텔라 어치(Steller's jay)였던 것 같은데 당시 처음 보는 모양에 색이 너무나도 아름다워 사진기를 집어 들었지만, 그 순간 저 멀리 날아가 버렸다. 황급히 따라갔으나 그 새의 자취를 찾을 길이 없었다. 두 번째로 아쉬운 일이었다. 일행만 없다면 남은 시간 내내 이 새를 찾아 주변을 헤매고 다니고 싶었지만, 제한을 받아야 할 처지여서 아쉬운 마음을 그대로 접어두었다. 어렸을 때 모리스 마테를링크의 파랑새에 나오는 틸틸(Tyltyl)과 미틸(Mytyl)이 파랑새를 찾아 떠나는 글을 읽고 새 한 마리 찾으러 먼 길을 떠난 이 아이들이 이해 가지 않았으나 나도 이 높은 산 속, 맑은 호숫가를 따라 그 신비한 새를 만나러 떠나고 싶어졌다. 큰 아쉬움을 남기고 루이스 호수 근처에서의 일정을 마무리 지었다.

> 감사함으로 그분의 임재 앞에 나아가 찬양시로 그분을 향해 즐거운 소리를 내세./ 여호와께서 위대하신 하나님이시며 모든 신보다 크신 왕이신 까닭일세.
> 땅의 깊은 곳들이 그분의 손안에 있고 산의 높은 곳들도 그분의 것이라네./ 바다도 그분의 것, 그분께서 만드신 것 마른 땅도 그분께서 손수 지으셨다네./ 자, 우리 경배하고 절하며 우리를 만드신 여호와 앞에 무릎 꿇세.
> 그분은 우리 하나님이시고 우리는 그분 풀밭의 백성, 그분 손의 양 떼일세. "오늘 너희가 그분의 음성을 듣거든, 므리바에서처럼, 광야 맛사의 날처럼 너희 마음을 굳어지게 하지 마라." 시편 95:2-8

# 18. 三顚四起(삼전사기) 캐나다 여행 VI.
## 돌아오는 길은 항상 포근해

남은 일정으로 루이스 호수에서 출발하여 밴프에서 하루 머물고 다음 날 곧장 밴쿠버로 가서 2박을 한 후 귀국하도록 예정하였다. 루이스 호수에서 밴프까지는 1번 도로인 트랜스캐나다 하이웨이(Trans-Canada highway)로 가는 것이 제일 쉬운 방법이나 이 길보다는 옛길에 해당하는 보우 밸리 파크웨이(Bow valley park way)를 통해 가는 것으로 계획하였는데, 이는 후자가 야생동물과 만날 수 있고 아름다운 자연을 누리며 갈 수 있다는 캐나다 관광 안내 책자들과 인터넷 경험담을 토대로 결정한 것이었다.

40분이면 밴프에 도착할 거리지만 시간이 더 걸려도 자연을 누리며 옛길을 따라 정취에 흠뻑 젖어 천천히 가고 싶었던 것이었다. 그러나 웬걸, 레이크 루이스 숙소에서 나와 보우 밸리 파크웨이를 들어서려는데 입구에 도로 폐쇄 안내문이 있지 않은가! 실시간 여행지 정보에 어둡다 보니 여기저기서 풍선에 바람 빠지는 소리가 들려오는 듯하였지만, 아쉬움을 뒤로하고 1번 도로인 트랜스 캐나다 하이웨이로 들어섰다. 레이크 루이스에서 밴프를 향한 1번 도로는 우리나라 고속도로와 유사해서 주위 경관을 감상하고 누리며 가기에는 길이 너무 좋았다. 하지만 도중에 캐슬 산(Castle mountain) 근처에서 모닝커피를 하며 잠시 쉬었다 가자고 하며 남쪽을 향하여 내려갔다.

 여행 중에 미리 내려받기를 해 놓았던 구글 내비와 옵션으로 추가 비용을 주고 렌터카 회사가 제공하는 내비게이션을 사용하며 다녔는데 렌터카 내비게이션은 자주 먹통이 되곤 해서 큰 도움이 되지 못하였고 구글 내비가 그때마다 구원투수로 도움을 주곤 하였다. 1번 도로를 타고 내려가다 캐슬 산으로 가는 도로가 보여 빠져나가니 산 전경이 보이는 잔디밭에 테이블과 의자가 놓여있는 쉼터가 있어 일행은 자연이 세운 장엄한 성채(城塞)를 배경으로 모닝커피를 마시며 잠시 쉴 수 있었다.

뒤에 캐슬 산이 보이는 쉼터가 있는 곳에서 보온병에 담아 온 뜨거운 물로 커피믹스로 모닝커피 시간을 가졌다.

휴식을 취하고 길을 떠나려는데 이곳에서 보우 밸리 파크웨이로 진입하는 표시판을 발견하였다. 여기도 막혔으면 다시 돌아가면 되니 일단 진입해 보자고 했는데, 이곳은 다행히도 열려있었다. 우린 폐쇄되었던 도로로 인한 실망감에서 회복되어 크게 기뻐했는데, 아마도 레이크 루이스 쪽에서 진입하는 부분만이 폐쇄된 것 아닌가 하고 거꾸로 올라가 보자고 하였다. 가다 보니 우리나라 국도처럼 자연과 가깝고 아름다운 경관을 더 친밀하게 감상할 수 있었다. 그러나 곰이나 사슴 같은 동물들은 자취도 보이지 않았다. 차를 타고 가다 곰과 같은 동물을 만난 것은 메디슨 호수에 갈 때가 유일했다. 그 흔한 캐나다 곰, 무스(moose), 사슴들은 도대체 어디에 있는 걸까?

재스퍼에 애써배스카강이 있다면, 밴프 국립공원에는 보우 호수(Bow lake)에서 부터 밴프를 지나 흐르는 보우 강이 흐른다. 보우 밸리 파크웨이를 거슬러 올라가다 보니 보우 밸리 파크웨이와 트랜스캐나다 하이웨이 사이에 이 강이 흘러가고 있는 것을 자주 볼 수 있었고, 강 옆으로 기찻길도 있어 기나긴 기차가 지나가는 모습을 볼 수 있었다. 산과 강과 기차, 이 정도면 캘린더 사진을 연출하는 장면이 아닌가?

보우강과 보우 밸리 파크웨이 사이로 기차가 달려가며 수려한 경관에 친
근감을 더하여 주었다.

보우 밸리 파크웨이를 달리다 만난 보우 강, 조용히 흘러가는 강 좌우로
침엽수림이 하늘을 향해 솟아 있고 멀리 눈 덮인 산들이 아름다운 경관
을 이루고 있다.

보우 밸리파크웨이를 달리는 동안 차량을 한 대도 발견할 수 없었던 우리는 도중에 차를 세우고 길 양 옆으로 하늘을 향해 손을 높이 벌리고 서 있는 듯한 침엽수들을 배경으로 온갖 포즈를 취하면서 사진을 찍어 가며 깔깔거리고 즐겁게 자연 속에 녹아 들어 가고 있었는데, 빨간색 차를 탄 백발의 노부부가 우릴 지나다 다가와 서더니 무슨 일이 있냐고 물었다. 도움이 필요하냐고 하여 우리는 웃으며 아니라고 하니 도움이 필요하면 이야기하라고 하시며 미소를 머금고 두 분이 저 멀리 사라져 갔다. 친절한 현지 캐나다인이셨다. 이 길에서 그날 본 유일한 차량이었다.

보우 밸리파크웨이 길 한가운데에서 온갖 포즈를 취하며 깔깔거리고 사진을 촬영하던 우리에게 무슨 일인지 도움이 필요하냐고 물은 노부부의 빨간색 차 한 대가 멀리 사라져 가고 있다

밴프에 도착하여 숙소에 일단 짐을 푼 후 밴프 곤돌라(Banff Gondola)를 타고 설퍼 산(Sulphur mountain) 자락에 위치한 스카이 비스트로(Sky bistro)가 있는 전망대까지 가기로 하였는데, 그곳 레스토랑에서 우아하게 밴프 주변의 로키산맥의 산들을 바라보며 식사를 할 수 있었지만, 우리 일행은 가성비가 떨어진다고 생각하여 전망만 보고 내려와 밴프 시내에서 저녁식사를 하기로 하였는데, 다행히도 한국 식당을 발견하여 그곳에서 식사하기로 하였다. 이번 여행에서 처음으로 가는 한국 식당이라 그동안 서양식 음식에 괴로워하던 나의 아내와 곽 형제님께서 제일 반기시는 듯하였다. 곤돌라 예약 시간이 남아 고색창연한 페어먼트 밴프 스프링스( Fairmont Banff Springs) 호텔에 들려 잠시 차를 주차해놓고 주변을 둘러보며 산책하다 보니 보우 강변까지 내려가게 되었다.

높은 곳에서 바라본 보우강

Fairmont Banff Springs 호텔에서 산책길을 따라가다 만난 보우 강의 아름다운 모습

보우 강가를 거닐다가 주차한 곳으로 돌아가는데 드디어 근접 거리에서 서너 마리의 사슴들을 발견하였다. 인적이 드문 보우 파크밸리에서도 보지 못했던 것을 이렇게 관광지에서 보다니, 이 사슴들은 사람을 전혀 두려워하지 않고 근접거리에서도 풀을 뜯으며 유유히 거닐고 있었다. 우리에겐 너무 신기한 장면이라 자꾸 뒤를 돌아보다 발길을 돌려 곤돌라 주차장으로 향하였다. 밴프는 재스퍼에 비하면 도시와 같아 번잡하였으나 그래도 우리나라에 비하면 소도시 규모 보다도 작아 보였다.

보우 강변을 산책하고 Fairmont Banff Springs 호텔로 돌아가는 길에 만
난 사슴 가족

밴프 곤돌라 상층부 스카이 비스트로 인근 전망대에서 바라본 밴프와 보
우 강의 모습

Fairmont Banff Springs 호텔을 배경으로

밴프 시내는 재스퍼보다 더 번화했고 사람들도 더 붐벼서 개인적으로
는 재스퍼가 그리웠다.

밴프에서 하루를 잔 후 다음날 밴쿠버로 곧장 가기로 하였기 때문에 우린 새벽같이 일어났다. 대충 아침 식사를 마무리하고 서둘러 길을 나섰는데 1번 트랜스 캐나다 하이웨이를 타고 레이크 루이스까지는 왔던 길을 거슬러 올라가 필드를 거쳐 골든과 캠룹스를 거쳐 밴쿠버로 10시간 넘게 가는 일정이었다. 두 사람이 번갈아 가며 운전하기에 도전할 수 있었다. 점심 식사할 때 외에는 경치 좋은 곳에 잠깐씩 머무는 것 외에 계속 자동차로 주행하여야 했다.

레이크 루이스에서 내려왔을 때와는 다른 느낌을 주었는데 캐슬 산의 윤곽도 올 때 본 것과는 다른 면모를 보여주었다. 밴쿠버에 도착하기까지 곳곳에 아름다운 산들과 호수들 그리고 귀여운 마못들이 10시간 넘는 주행 시간이 지루하지 않게 해주었다.

밴쿠버로 향하는 길에서 만난 글라시어 국립공원의 모습

들판에 사는 마멋(marmot)

장시간에 걸친 운전을 마치고 누님께서 사시는 노스 밴쿠버 (North Vancouver)에 도착하였다. 우리 일행이 네 명인지라 누님댁에서 머물지 못하고 우린 여기서도 숙소를 예약하였는데 숙소 형태가 가보니 우리나라로 치면 작은 아파트 같았다. 리셉션도 없고 전화로 연결된 사람이 열쇠를 건네주며 주차장도 안내해주었다. 다행이었던 것은 집처럼 세탁기, 식탁, 주방, 냉장고 등 모든 것이 완비되어 있었다. 수일간 여행하며 갈아입었던 옷들을 빨고 건조할 수 있어서 여행 마무리의 숙소로서는 안성맞춤이었다.

오후 늦게 도착했지만 해가 아직 중천에 있는 듯하여 우린 숙소 주위 바닷가 근처를 산책하다가 돌아와 짐 정리를 하고 이내 곯아떨어졌다. 다음날 일찌감치 누님댁에 도착했는데 자연 속에 주거지였다. 바로 앞에 바다가 보이고 뒤로는 숲도 우거져 가끔 곰들이 주변을 배회하기도 한다고 하셨다. 누님과 매형께서 반갑게 맞이하여 주셨다.

오전엔 누님과 함께 밴쿠버 시내 중 그랜빌 섬(Granvile Island)을 다니고 오후엔 매형께서 안내해주셔서 근교에 위치한 딥 코브(deep cove)와 린 캐년(Lynn canyon)에 다녀왔는데 도시 근처에 바다가 내륙으로 깊게 들어와 강 같아 보이는 곳에 아름다운 선착장이 있는 공원들과 깊은 숲과 계곡과 폭포가 있는 산들이 있는 밴쿠버를 왜 그렇게 캐나다 사람들과 또 캐나다로 이주하려는 세계 각국 사람들이 좋아하는지 그 마음이 이해되었다. 홍콩이 중국에 반환될 무렵 수많은 사람이 밴쿠버로 이주하였다고 하는데 나도 보다 젊은 날 이러한 환경을 알았고 기회가 되었다면 도전해 보았음 직하였을 것 같다.

저녁 식사는 누님과 매형께서 집에서 만찬을 베풀어 주셨다. 이민 오신 지 오래 건 만 처음으로 들린 누님댁은 낯설었지만 이내 친근해지고 우리 일행은 그동안의 캐나다 로키를 거쳐 온 모든 여정을 다 추억으로 남기고 캐나다의 모든 일정을 마무리하였다.

Granvile Island, 1917년대 광업 임업 장비 수리공장 등의 산업시설들이 들어섰던 곳이 지금은 예술가들의 작업 공간과 판매 공간으로 변모하였다.

그랜빌 섬의 한 카페에서 누님과 함께

오후엔 딥 코브(DeepCove)에서 환하게 웃으시는 매형과

린 캐년에서 만난 폭포, 계속
된 비로 인해 유량이 늘어 있
는 듯하였다.

린 케년 트레일 중 만난 바위를 뚫고 자란 거대한 나무

귀국 시에 비행 일정은 우리에게 부담스럽지 않았다. 들뜬 마음으로 두근거리며 떠났던 우리 마음은 집으로 돌아간다는 가벼운 흥분으로 마무리되었다. 아듀 캐나다.

# IV.
온종일 나의 손을 내밀었다.

# 19. 봄비 속을 걷기

점, 점, 점, 점,
점, 점, 점,
점, 점, 점, 점,
안개 빗속을 걷다.

점선, 점선, 점, 점 선.  점
점, 점선, 점, 점선,
실선, 점선, 실선, 점선,
실선, 실선, 실선, 실선.
점차 봄비 속을 걷게 된다.

직선, 굵은 직선, 직선, 직선
굵은 직선, 굵디 굵은 직선,
직선, 직선, 굵은 직선, 직선

해는 넘어가고
빗방울은 굵어지고
불 밝혀진 집은 저만치 보인다.

# 20. 짐의 무게와 기도

우리 앞에 놓인 짐의 무게에 따라 써야 할 기도에 드는 힘은 달라진다.

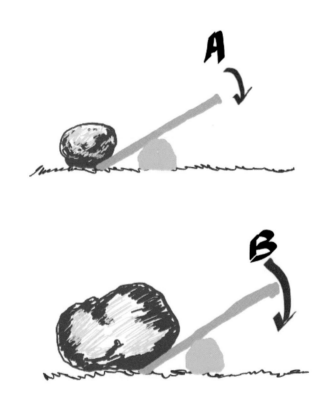

어떤 믿는 이는 위중한 상태에서도 A의 경우만큼 평소처럼 기도한 후 아무런 응답이 없다고 포기하는데, B의 경우와 같은 짐이 옮겨지려면 거기에 맞는 간절한 기도가 필요하다.

우리의 생명을 위협하는 상황과 같은 중한 짐이 우리 앞에 놓여 있다면, A만큼 힘을 쓰며 기도해선 그 짐을 옮길 수 없다. B의 힘으로 하나님 앞에 더 깊이 감추인 죄들을 자백하고, 하나님께서 얻고자 하는 것을 더 내어 드려야 한다.

이 경우 이런 짐을 하나님께서 허락하신 것은 우리가 평소 당연시하거나 등한시해왔던 우리 존재에 하나님과 어울리지 않는 것을 하나님 앞에 가져가 처리 받게 하기 위함이거나, 성령의 더 풍성한 분배, 더 깊은 주 예수님에 대한 체험, 넘치는 주님의 은혜를 얻게 하시길 하나님께서 원하시기 때문이다. 우린 하나님의 그런 뜻을 헤아리고 그에 맞는 반응을 하여야 한다. 다음 말씀을 잊지 말자.

> 그러나 나의 의인은 믿음으로 살 것이다. 그가 뒤로 물러 간다면, 나의 혼은 그를 기쁘게 여기지 않을 것이다."라고 하셨기 때문입니다. 그러나 우리는 뒤로 물러가 황폐하게 되는 사람들이 아니라, 믿음을 가져 혼을 얻게 되는 사람들입니다. 히브리서 10:38-39

기도에 힘을 더한다는 것은 기도에 물리적 측면에 힘을 더한다는 의미보다는, 하나님께 더 열어드리고, 하나님께 자신을 더 내어 드리고, 하나님께서 자신을 더 얻도록 허락해 드린다는 것이 더 강한 의미이다.

# 21. 교신

"나는 나를 구하지 않은 사람들에게 문의를 받았고 나를 찾지 않은 사람들에게 발견되었다. 나는 내 이름으로 불리지 않던 민족에게 '내가 여기 있다, 내가 여기 있다.' 하였다. 거역적인 백성에게 내가 온종일 나의 손을 내밀었나니 그들은 자기 생각을 따라 선하지 않은 길로 걸어가는 이들이며 시편 65:1-2

이 땅에 생명체 중에 인지력과 사고력이 뛰어난 높은 생명의 소유자인 사람들은 하나의 공통적인 특징을 지닌다. 다른 이들과의 교류, 소통, 교감을 원하는 것이다. 그래서 등교 시 학생들은 친구를 기다리고 60이 넘은 분도 무리 지어 점심식사를 하기 원한다. 친한 친구와 교류만으로는 성에 안 차 개나 고양이 심지어 야생동물들과도 교감을 얻기도 하는데 돌고래, 범고래, 문어, 사자, 호랑이 등 셀 수 없이 많은 종류의 동물들과 교감을 나누는 이야기와 동영상들을 쉽게 찾아볼 수 있다.

그러나 사람들은 이 정도의 교류만 갖고도 만족해하지 않는다. 미지의 보다 더 지적 존재가 있을 것으로 생각하고 저 드넓은 우주 어딘가 그런 존재가 있다면 그들과 교류하고 싶어 하는 사람들이 있다. 그래서 그들은 우주선으로 인류와 지구의 다양한 정보를 담아 머나먼 우주로 떠나보냈다.

이것으로도 만족하지 못해 사람들은 자신의 존재가 여기 지구에 있다는 것을 머나먼 우주에 알리고 싶어 했다. 1974년 푸에르토리코에 있는 아레시보 전파망원경을 통해 전파를 발신하여 인류의 존재를 알리고자 하였는데 그 전파망원경의 직경은 무려 300미터나 되었다. 이렇게 외계 행성에 존재할지 모르는 미지의 지적 존재와의 교신을 위해 국제적 연대가 이루어져 활동하는데 원래 NASA가 운영하다 실적이 없자 대폭 축소되고 이제는 민간 과학자와 대학들에서 진행되고 있다고 하는 일명 외계의 지적 생명탐사( Search for Extra-Terrestrial Intelligence; SETI) 활동이다.

2016년에는 직경 500미터의 전파망원경(Five-hundred-meter Aperture Spherical radio Telescope, FAST)이 중국 첸난 주에서 가동되었다고 하는데 축구장 30여 개의 면적에 달한다고 한다. 물론 이 전파망원경은 우주의 천체와 그 활동을 감지하는 것이 주된 것이겠지만 사람들의 끊임없는 미지의 지적 존재와 교류에 대한 열망은 지속되고 있다.

그런데 그토록 사람들이 찾고 목말라하는 대상이 사실은 하나님이 아닐까? 하나님께서는 그분 자신을 찾을 수 있도록 수천 년 동안 우리에게 우리가 알아들을 수 있는 사람의 말들로 말씀해오고 계시지 않은가? 그것이 다 기록되어 성경이란 책으로 인류 모든 사람이 읽을 수 있도록 주어지게 하시지 않았는가? 왜 사람들은 그들을 만나기 원하시는 하나님은 찾지 않고, 있는지도 모를, 인류를 위협할지 모른다고 또 다른 과학자들은 그리하지 말라는 우주와의 교신에 그토록 목말라하는가?

 하나님,
그분은 만나기 쉬운 분이시다.
역대로 하나님을 만난 많은 사람이 있고
그들의 이야기가 고스란히 기록되었고 우리 귀에 들려지고 있다.

> 너희가 온 마음으로 나를 찾으면 나를 찾고 또 발견할 것
> 이다. 나는 너희에게 발견될 것이다. 여호와의 선포이다.
> 예레미야 29:13-14上

# 22. 왜 이 시대는 분별하지 못하십니까?

 예수님께서 외딴곳에 홀로 가셨을 때의 일이다. 많은 사람이 이 동네 저 동네에서 나와 그분을 따랐는데 남자만 오천 명가량 되었으니 여자와 아이들까지 합하면 만 명을 넘었을 것이다. 주변에 마을들이 없는 외딴곳이었으므로 그대로 있다가는 다 굶을 판이었다. 그들의 수중에는 떡 다섯 개와 물고기 두 마리뿐이었지만 예수님은 하늘을 우러러보시고 축복하시어 떡을 떼어 주시니 온 무리가 다 배불리 먹고도 열두 광주리 가득 남게 되었다. 마태복음 14장의 기록이다.

 15장에 이에 이어서 유사한 기록이 있다. 이번에는 예수님과 함께한 무리가 남자만 사천 명가량 되었는데 여자들과 아이들까지 합하면 만 명가량 되었을 것이었다. 예수님과 함께한 지 사흘이나 되었는데 그곳도 인근에 마을이 없는 황폐한 곳이었다. 그들에게는 일곱 개의 떡과 물고기 몇 마리가 있었는데 예수님께서 감사드리신 후 떼어 주시니 일곱 광주리 가득히 남게 되었다.

 성경은 두 번의 유사한 기록을 나란히 기록하고 있는데 2라는 숫자는 증거, 간증의 수이다. 즉 확실히 그러하다는 의미를 가진 수이다.

 왜 예수님은 이 수많은 사람을 하필이면 집도 회당도 없는 외딴

곳, 황폐한 곳으로 이끄셨을까? 그들이 굶주릴 수 있다는 것을 분명 아셨을 터인데, '도시락 지참'이라고 광고하지 않으셨을까? 오늘날 이 정도의 사람들이 모여 집회하려면 수많은 사항을 계획하고 점검하였을 텐데 예수님은 아무 생각이 없으셨던 것일까?

다섯 개의 떡과 두 마리의 생선으로 남자만 오천 명을 먹인 동일한 사실을 기록한 요한복음 6장을 자세히 읽어 보면 주님의 의도를 깨달아 알 수 있다. 그분 자신이 사람의 양식이 되시려고 하늘에서 내려온 참 떡, 생명의 떡이심을 보여주시므로, 인간은 배고프고 공허한 존재이고 우리를 채울 참된 양식은 바로 예수님 자신이라는 사실을 그들이 깨닫기 원하셨던 것이다.

나에게도 그러한 일이 찾아왔었다. 내과 레지던트 1년 차 말에 그 당시 규모는 작지만 나에게 필요한 모든 분야에 나의 필요들은 다 채워져 있었다. 내가 되고 싶었던 내과 의사가 되는 여정에 들어섰고, 존경하던 교수님들의 모습에 근접해 갔으며 당시 월급은 얼마 되지 않았으나 총각에게 부족함은 없었다. 그런데 공허하였다. 이론상 나는 행복해야 했지만, 무엇이라 말할 수 없는 배고픔이 있었다. 그때 나는 찾았고, 지금의 아내가 된 여인을 만났으며, 아내로 말미암아 예수님과 교회로 인도되었고, 배부르게 먹게 되었고, 빵은 일곱 광주리에 넘치도록 남게 되었다.

당시 유대 땅에 이런 놀라운 일들이 벌어지고 있었는데 그다음에 이어 성경은 다음과 같이 기록하고 있다.

> 그런데 바리새인들과 사두개인들이 나아와, 예수님을 시험하려고 하늘에서 온 표적을 자기들에게 보여 달라고 요구하니, 예수님께서 그들에게 대답하셨다. "여러분은 저녁에는 '하늘이 붉으니 날씨가 맑겠다.'라고 말하고, 아침에는 '하늘이 붉고 흐리니 오늘은 날씨가 궂겠다.'라고 말합니다. 여러분이 하늘의 현상은 분별할 줄 알면서, 시대의 표적들은 분별하지 못하고 있습니다. 마태복음 16:1-3

이와 유사한 기록이 누가복음에서는 다음과 같이 기록되어 있다.

> 위선적인 사람들이여, 여러분이 땅과 하늘의 현상은 분별할 줄 알면서, 왜 이 시대는 분별하지 못하십니까? 누가복음 12:56

**"왜 이 시대는 분별하지 못하십니까?"**
이것이 예수님께서 이 시대를 사는 우리에게 던지고 계신 질문이다.

기상전문가에 따르면 노을은 해의 뜨거나 질 무렵 햇빛 중 파장이 짧은 파란색은 산란하고, 파장이 긴 붉은색은 투과시켜 하늘을 붉게 물들인다고 한다. 특히 저녁노을이 있다는 것은 서쪽에 고기압이 위치한다는 것을 의미하는 것이고 지구의 자전으로 인해 우리나라처럼 유대 지방은 편서풍이 부는 위치에 속해 있으므로 다음날 날이 맑을 가능성이 커진다고 한다. 이에 반해 아침에 노을이 생기는 경우는 이미 고기압이 동쪽에 있다는 것으로, 서쪽으로는 저기압이 위치할 가능성이 커 날씨가 좋지 않고 비 올 확률도 높아진다고 한다.

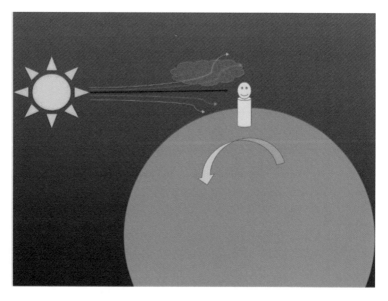

저녁에 서쪽 하늘에 고기압이 놓여 맑을 때 빛 산란으로 파란색 계통은 흩어지고 붉은색이 통과돼 저녁노을이 붉게 물들며 편서풍의 영향으로 다음날은 맑을 가능성이 크게 된다.

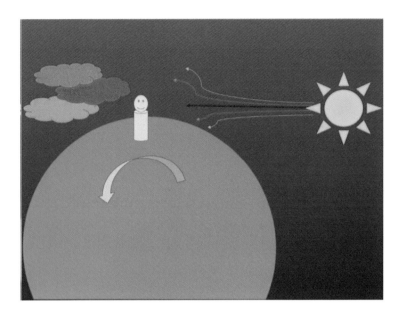

아침에 노을이 생기는 경우는 이미 고기압이 동쪽에 위치한다는 것으로 서쪽으로는 저기압이 위치할 가능성이 크므로 날씨가 좋지 않고 비 올 확률도 높아진다고 한다.

2000년 전에 주 예수님께서 이 땅에 오셨을 때 사람들은 다가올 날의 일기를 예측할 수 있는 하늘의 현상들을 관찰하고 알고 대비하고 있었던 것이다. 그런데 그런 사람들이 시대가 바뀌는 것은 감지하지 못하고 있었다.

이런 그들을 향해 예수께서 말씀하고 계셨다. **"왜 이 시대는 분별하지 못하십니까?"**

한국민족문화 대백과사전에 따르면 '시대'는 "역사의 큰 전환기를 중심으로 같은 성향이 지속되는 기간"을 의미한다고 한다. 역사시간에 배운 대로 석기시대는 생계를 위해 채집이냐, 아니면 정착하여 농경이 가능해졌느냐에 따라 구석기시대와 신석기시대로 구분된다.

구석기시대에서는 한곳에 머무르고 싶어도 주변에 먹을거리가 더 없으면 이동할 수밖에 없었다. 그 시대에서는 정착이란 개념과 주거지 건축이란 개념은 없었던 것이므로 부동산 개념도 없었을 것이다. 그러나 신석기시대로 전환하면서 밭농사 개념이 생기고 일정 지역 거주가 가능해지며, 따라서 원시적이지만 주거지 형태를 만드는 일이 필요해지기 시작하였다. 어느 땅에 사느냐가 중요해지기 시작하였을 것이다. 수확의 개념이 생기니 저장의 필요가 생겼고 이에 따라 인류는 토기를 만들기 시작하였다. 구석기시대에는 자연에서 얻은 돌을 깨고 떼어내어 도구화하는데 그쳤지만 신석기시대에서는 자연에서 얻은 흙을 구워내어 그릇의 형태를 만들어 낸 것이었다. 신석기시대에 진입하기 전에는 인류는 그 시대의 한계에 머물며 사고방식도 그렇게 제한되었을 것이다. 그러나 신석기시대가 도래하면서부터는 그 시대에 맞는 생각과 행동을 요하고 시대의 전환에 따른 적응이 필요한 것이다.


인류 역사는 BC(before Christ로 그리스도 이전)와 AD(라틴어로 Anno Domini 우리 주의 해)로 나뉘는데 그 분깃점이 예수 그리스도이시다. 전 세계적으로 이 서기를 사용한다. 기독교 국가든 아니든 국제적으로 통용되는 것은 이 연도 표기법이다. 바리새인들과 사두개인들이 예수님과 말을 주고받을 때, 시대가 어떻게 변하고 있었던 것일까?

> 하나님께서 세상을 이처럼 사랑하시어 독생자를 주셨습니다. 이것은 그분을 믿는 사람마다 멸망하지 않고 영원한 생명을 얻도록 하려는 것입니다. 요한복음 3:16

성경은 하나님께서 세상을 사랑하시어 독생자를 주셨다고 말한다. 사랑하는 아들을 누군가를 구원하기 위해 주셨다면 그 누군가를 얼마나 사랑하시는 것일까? 우리가 우리 자녀를 고통 가운데 내어 주어, 심지어 죽음에 이르기까지 내어 주어 다른 어떤 사람을 얻고자 한다면 그 사람을 얼마나 사랑하는 것일까? 그냥 지나기는 이야기로 할 수 있는 말이 아니다. 바로 이러한 예수께서 이 땅에 오셔 멸망에서 구원하여 영원한 생명을 얻도록 일하고 계셨는데 사람들은 그분께 하늘에서 내려온 표적을 구하고 있었다. 그들에게 주님은 "왜 이 시대는 분별하지 못하십니까?"라고 묻고 계셨다.

# 23. 아이들의 생각

소아과학을 배울 때 첫 시간에 소아과 교수님께서 꼭 하시는 말씀이 있다. "아이들은 작은 어른이 아니다"라는 말인데, 키와 체중이 작은 어른의 축소형으로 이해하지 말라는 것이다. 병태생리, 약리 기전이 어른과는 다를 수 있으니 아이들에게 맞는 특이적이고 적합한 의학적 접근을 해야지, 어른의 관점에서 환아를 이해하려 들지 말라는 말씀이었다.

늦가을 하루, 지인들과 토요일 두물머리에서 남한강 쪽으로 산책하러 갔다. 이른 아침 쌀쌀한 날씨에 물가에 대포같이 큼지막한 망원렌즈와 삼각대로 중무장한 사람들이 추운 날씨에도 서성이고 있었다. 강변에서 백로가 물고기를 잡아먹는 것을 보고 일행 중 한 분이 "저 백로가 물고기를 먹고 있네"라고 하였더니 함께한 다섯 살 난 채안이가 "난 오늘 아침 멸치 먹었는데"라고 하자, 백로가 물고기를 잡아먹는 장면에 자신이 멸치를 먹은 것을 연결한 아이의 발상에 모두 박장대소하며 자지러졌다.

어느 더운 여름날 야외에서 산책 중 채안이가 할머니한테 "더워요 에어컨 틀어주세요"라고 하였다고 해서 우리는 모두 또 한 차례 큰 웃음을 터뜨렸는데, 칠월 한여름에 한국이 한참 무더위와 높은 습도로 불쾌하였을 때, 호주 브리즈번을 방문한 적이 있었는데 공항을 빠져나오자 온 도시에 에어컨을 틀어 놓은 것 같은, 채안이가 해달라고 한 딱 그 느낌이 들었던 적이 있었다.

며칠 전 아침저녁으로는 선선하여 걷기에 최적인 날씨라 다른 두 부부와 우리 부부는 뒤영벌의 배경이 된 길을 걷기로 하였다. 이들에게 우리가 좋아하는 걷기에 좋은 길을 소개도 하고 첫 번째로 에세이집을 발간했던 '뒤영벌' 책의 배경이 되었던 사연도 실재 장소를 보여주며 설명해줄 겸 해서 찾았는데 반환점인 장칼국수집에서 아침 겸 점심식사를 할 때 한 지인이 짓궂게 말하였다. 책 제목이 '뒤영벌'이 무슨 뜻인지 어려웠다며 "책이 잘 팔리게 하려고 일부러 어려운 단어를 쓴 것이냐?"라고 말하여, 나는 "그리 말씀하시니 노인의 마음이라"라고 응수하였다. 꿈에도 생각해 보지 못한 것을 말하니 그것도 상업적인 관념을 대입해서 말이다. 낯선 책 제목을 사용한 내게 대한 농담 반 푸념 반의 말인지라 웃고 넘어갔지만 우린 어른들이었다.

> "내가 진실로 여러분에게 말합니다. 여러분이 돌이켜 어린아이와 같이 되지 않으면, 결코 천국에 들어가지 못할 것입니다." 마태복음 18:3

어른이 된다는 것은, 아이들과 같지 않다는 것은 두려운 일이다. 그 마음이 신문지같이 빽빽하게 이미 다 쓰였고 거기에 또 이것저것으로 낙서 된 것과 같은 마음 판을 가진 사람들이 어른들 아닐까? 어린아이와 같이 순수하고 여백이 많아 그 마음 판에 하나님께서 마음껏 쓰실 수 있는 그런 아이들로 남아 있고 싶다. 세월이 가도.

# 24. 어디에 연결되었습니까?

-신성한 로그인-

 이전에 세상의 누림을 얻으려면 멀리 나아가야 했다. 그런 누림을 주는 곳들이 각기 멀리 떨어져 있었고, 얻는데 드는 대가도 적지 않으므로 그런 누림을 얻는 것은 그 자체도 쉽지 않은 일이었다. 그러한 세상적 누림이 건전한 것만은 아니었으므로 도덕적 요구와 사회적 규범도 높았던 시절엔 다른 사람들의 눈치도 보아야 했다.

 그런데 이러한 많은 장애 요인들이 인터넷의 등장으로 본격적으로 무너지기 시작하였다. 윤리적 도덕적 규율도 무너져 가고 있고, 자신이 좋으면 타인에게 직접적 해를 끼치는 것이 아니라면 다 허용되어야 한다는 목소리가 커지고 정상시 여겨지면서, 세상적인 누림의 각양각색의 출처들은 인터넷이라는 거대한 강의 흐름에 자신의 내용물들을 쏟아부어 낸다.

 물론 인터넷에는 유익한 것들 또한 제공된다. 새로운 학문과 나의 전공 분야가 아니더라도 쉽사리 타 전문분야의 지식을 접할 수 있고 유익한 수많은 정보를 얻을 수 있는 것 또한 부인할 수 없다. 이제 심지어 전문분야에서조차도 실력은 정보검색 능력에 좌우되기도 할 정도이다. 그런데 이러한 유익의 정보의 섬들 주위로 세속적 누림 심지어 정욕적인 누림의 거대한 흐름이 휘돌아 흐르고 있어 조금만 발을 잘못 내디디면 그 흐름에 떠내려가게 된다. 한번 유튜브를 보기 시작하면 쉽사리 중단하기 쉽지 않고 인터넷에 연결되면 빠져나오기 쉽지 않다. 이러한 연결이 우리 존재의 전인적 발달과 인격 함양에 도움이 될까?

우리가 연결되어야 할 대상은 인터넷이 아니라 하나님이시다. 성경은 말하고 있다.

> 내 백성이 두 가지 악을 행하였다. 그들은 생수의 원천인 나를 저버렸고 자기들을 위해 저수조들을 팠는데 그것들은 물을 담아 둘 수 없는 새는 저수조들이었다. 예레미야 2:13

연결되어야 할 하나님을 떠난 것이 악한 것이라는 것이다. 사람이 그 근원이신 하나님을 떠날 때 보호와 오락과 누림을 위해 무언가를 찾아야 하며, 스스로 이를 찾아 저수조를 팠으나 이는 갈증을 해결해줄 물을 저축하지 못하고 계속 새어나가게만 할 뿐이다.

믿는 이여, 오늘 우리는 어디에 '로그인'해야 할 것인가?

# 25. 땅인가 하늘인가?

> 그러므로 여러분 자신을 위하여 보물을 하늘에 쌓아 두십시오. 거기에서는 좀이 먹거나 녹이 슬지도 않으며, 도둑이 구멍을 뚫지 못하고 훔쳐 가지도 못합니다. 그대의 보물이 있는 그곳에, 그대의 마음도 있습니다. 마태복음 6:20-21

보물은 우리가 일생토록 일하여 얻은, 귀중히 여길만한 결정체이다. 그 결정체가 무엇이 될지는 우리의 안목에 따라 달라진다. 이 땅에 소망을 둔 사람은 이 땅에 적합한 결정체를 산출하도록 생각하고 하고 일하며 그의 일생을 다 사용할 것이다. 하늘에 소망을 둔 사람은 하늘에 두기에 적합한 결정체를 얻도록 생각하고 행동하고 일할 것이다.

문제는 이 땅은 도둑들이 들끓는다는 것이고, 땅에 적합한 결정체는 시간이 지나면 녹슬고 낡아져 그 가치가 소멸되어 간다는데 있다. 당신이 귀하게 여기는 것은 무엇인가? 당신의 일생을 좌우할 가치는 어디에 있는가?

처음 성경의 이 부분을 읽었을 때는 '보물'은 우리의 재물이고 '땅에 쌓아 두는 것'은 은행 계좌나 주식 등과 같이 땅에 속한 재정 관리에 관한 것이고 하늘에 쌓아 두는 것은 헌금 등의 이 땅에서 하나님의 일에 우리의 재물을 사용하는 것으로만 생각하였다. 그러나 시간이 지나 이 구절들을 다시 읽을 때 땅에 쌓을 수 있는 형태의 보물과 하늘에 쌓아 둘 수 있는 보물 자체가 다른 것이라는 깨달음이 왔다.

박사학위, 인맥, 저축된 재화, 쌓아 올린 권력 등은 이 땅에 쌓아둘 수 있는 형태의 보물이다. 이 모든 것이 화려하고 대단하다 할지라도 나이 들어 요양병원에 입원하게 되면 다 아무짝에도 쓸모없게 된다. 한 번은 상담하러 온 사람 중에 과거 은행의 상당한 고위직으로 근무하던 분이 계셨다. 대사증후군 관련된 상담을 받으셔야 했는데 상담 내내 자신이 은행 근무할 때 사람들이 다 자기를 떠받들던 기억이 생생한데 은퇴한 지금 아무도 자신을 인정해 주지 않는다고 하소연하셨다.

재물은 우리가 몸을 입고 사는 일상의 삶을 위해 필요하다. 우린 매일 먹을 음식을 위해 이마에 땀을 흘리고 수고해야 해야 한다. 성경의 창세기에 세워진 이 법칙은 아직 바뀌지 않았다. 우린 곰처럼 온몸이 털로 덮여 옷도 필요 없고 집도 필요 없는 동물들과 다르므로 이 또한 수고해서 얻어야 한다. 생활을 위해 우린 성실히 일해야 한다.

그런데 그것이 전부라면 우린 그저 동물들과 다를 바 없다. 하지만 우리에겐 그런 일상의 필요를 위해 일하는 것 외 무언가 인생의 의미를 찾기 위해 갈급하게 하는 무언가가 있지 않은가?

그것이 무엇인가? 그것이 땅에 저축할 수 있는 형태의 것인가? 아니면 하늘에 저축할 성격의 것인가? 이 땅에 역사할 어떤 것인가 하늘에서 역사할 수 있는 어떤 것인가? 이 땅에서 다른 이들에게 자신의 존재감을 인정받고 지위를 나타낼, 더 나아가 다른 이들에게 강한 영향력을 행할 수 있는 것을 추구하는가? 아니면 인생의 의미, 참된 것, 진리, 의, 평강, 안식, 빛, 성결, 거룩함, 온전함, 순수함, 그리고 더 나아가 다시 오실 주 예수님 앞에 설 때 부끄럽지 않을 결정체인 보석들을 추구하는가?

어떤 삶을 살지는 당신이 본 것에 의하여 결정되는데 선택된 것의 결말을 분명히 알 때 당신의 관점은 바뀌게 되고 바뀐 만큼 생각이 달라지고 행동이 달라지고 오늘 하루 할 일이 달라지게 된다.

친구여, 오늘 땅에 저축할 보물을 얻도록 일하겠는가? 하늘에 저축할 보물들을 산출하도록 일하겠는가?

# 26. 사람의 원망

사람은 자기가 어리석어 길을 망치고서 마음속으로 여호
와께 화를 낸다. 잠언 19:3

30 중반을 넘기면 근육은 발달 곡선에서 퇴행 곡선으로 전환하
게 된다. 별다른 운동을 하지 않더라도 근골격계 문제로 대게는
큰 고생을 하지 않는데, 30 중반을 넘기면 이야기가 달라진다.
여전히 사무실에서 컴퓨터 화면과 좌판에 매달리다 집에 와서
는 가장 편안한 자세로 소파에 앉아 남은 저녁 시간을 TV 리모
컨을 돌리기만 하다간 어느 날 평소 하던 대로 하던 동작에도 급
성 요통이 발생할 수 있다. 그 통증의 심한 것은 말로 할 수 없는
데 '악' 소리 나게 통증을 호소하게 된다.

한 번은 미국에서 R님이 한국을 방문하였다. 근접거리에서 접
대하였던 분들이 가뜩이나 비만이신 분께 체질의 개념에 대해
소개하고 그분의 체질까지 측정하여 고기를 많이 먹어야 하는
체질이라고 알려 주었고 고기 위주의 식사를 권고하였다. 수년
이 지나 그분은 관상동맥질환으로 관상동맥 우회술을 받게 되
었다. 웃어야 할지 울어야 할지 오늘 이 상황에 대해 누구도 죄
송하다고 사과하는 소리를 듣지 못하였다.

제때 하지 않은 일은 숙제가 되어 어느 날 더는 미룰 수 없게 될

때 불현듯 쏟아져 내린다. 없었던 일들이 마치 지금 막 생긴 것처럼. 책상 위에 쓰다 놓아둔 물건도 제자리에 두길 미룰 때 어느 날 더 물건 둘 곳이 없이 번잡해진 자신의 책상을 보게 된다. 이 모든 혼잡이 익숙해 짜증도 나지 않는데 책상 위 수많은 물건 속에 찾지 못해 없는 줄 알고 또 온라인 구매를 한다. 그렇게 집으로 들어온 물건이 한둘이 아닌데 나중엔 또 구매한다.

어떤 사람은 좀 친숙해지면 연관된 사람들에 대해 단점을 말하며 그렇게 해서 일이 되겠느냐 말하곤 하고 자신에 대해선 장점을 은근히 이야기하고 업적을 늘어놓곤 하는데 두세 번 그러다 보면 그 이야기를 듣던 사람이 나에 대해서도 다른 사람들에게 이렇게 이야기할 수 있겠다고 하며 거리를 두게 되고 만나 이야기하더라도 내밀한 이야기나 책잡힐 이야기는 애초에 꺼내 놓지도 않게 되니 마음을 털어놓을 친구는 날이 갈수록 희귀해지게 된다.

사람들은 많은 경우 자신이 그릇 행하고는 만족스럽지 않은 결과에 대해 다른 사람 탓을 하거나 하늘을 원망한다. 심지어 하나님께서 계신다면 이런 일이 일어날 수 있느냐고 항변하는데, 적지 않게 일들은 이미 자신의 어리석음으로 말미암아 진행되고 있었다.

하이원 리조트, 그랜드 호텔 뒤뜰에서

# 27. 신성한 경제학

> 하늘로부터 비가 내려오고 눈이 와도 그리로 돌아가지
> 않고 토지를 적시고 싹이 트이게 하고 씨 뿌리는 자들에
> 게 종자를 주고 먹는 자들에게는 양식을 줌과 같이, 내 입
> 에서 나오는 말은 헛되이 내게로 돌아오지 않고 내가 기
> 뻐하는 것을 성취하고 내가 보낸 일을 번창케 하리라. 이
> 사야 55:10-11

경제에 해당하는 영어 economy의 어원을 따지면, 헬라어
οίκονομία(오이코노미아)라는 말에서 영어화 되었다는 것을 알
수 있다. 이 단어는 가정, 집안을 의미하는 '오이코스'와 법, 관리,
규칙의 의미를 가진 '노모스'란 단어의 합성어이다. 그 어원은 '가
정관리', '가정에서의 분배'라는 의미를 함축하고 있는데, 가정
구성원들에게 필요한 것을 공급하고 가정 구성원들이 자신의
기능을 발휘하여 가정이 잘 세워지도록 한다는 개념이 내재해
있다.

케임브리지 사전은 경제에 대해 "한 국가의 부가 만들어지고
사용되는 무역 및 산업 시스템"이라고 정의하였고 호주 예비은
행(Reserve bank of Australia)의 정의에 따르면 "상품과 서비스
가 생산되고 소비될 수 있도록 희소한 자원이 어떻게 사용되는
지를 결정하는 시스템"이라고 정의하고 있다. Harvard 대학교

는 경제학 연구를 "목표 지향적인 개인들 사이의 제도를 통한 상호작용의 결과인 시장, 기업의 입법부, 가족과 같은 사회 시스템의 행동에 관한 연구."라고 지칭하고 있다.

스탠퍼드 대학교의 철학 백과사전(encyclopedia of philosophy)에 따르면 경제학은 상품과 서비스의 생산, 교환, 유통, 소비 측면과 관련이 있다고 언급하며 역사적 고찰에 따르면 학자들은 경제적 행위에 관련된 고리대금과 같은 윤리적 문제나 무역 수지와 통화 규제, 국가 재정관리의 복잡성과 국가의 세금정책의 영향과 같은 다양한 경제활동과 그 영향들에 관해 관심을 가져왔다고 한다. 개인단위의 생산성에서부터 국가 단위의 부의 원천, 관리, 사용, 규제에 이르기까지 폭넓게 고려하고 연구해야 할 많은 대상이 인류 사회에는 존재하고 있다. 자연조건, 농업, 어업, 광업 분야에서 연간 수확량, 생산된 상품의 질, 소비재와 이를 생산하는 자원 및 도구를 생산 및 배포하는 복잡한 상호 작용에 관한 연구도 학문적 관심 대상이었다고 한다. 애덤 스미스, 존 스튜어트 밀, 윌리암 스탠리... 그런데 알지도 못하는 끝도 없이 이어지는 유명 경제학자의 지고한 이론을 여기서 말하고자 하는 것은 아니다.

어느 농부가 곡물을 생산하고자 하는 열망이 있으나 땅과 씨앗을 살 재력이 없다고 하자. 그는 영농자금을 저리로 빌려 땅을 임대받고 종자를 구매하여 열심히 일 년 내내 수고하여 가을에 100배의 수확을 얻었고 3~4년을 열심히 일하였다. 그가 수확한 곡물은 학생들에게 선생님에게 공장의 일꾼에게 음식으로 제공되었고 그 음식을 먹고 열심히 공부하고 일한 그들로 말미암아 학생들은 선생님이나, 판사나, 우체부나, 의사나 회사원이 되어 사회의 건강한 역할을 하는 사람들이 되어 그들의 기능으로 더 많은 사람이 도움을 얻어 자기 일을 할 수 있게 되었다. 그 농부는 5~6년을 더 일하여 빚을 갚고 생활비를 빼고도 많은 돈을 저금할 수 있었고 그가 저금한 돈을 포함하여 은행에 저축된 재원으로 어떤 공장의 사장은 기계를 구입하고 일군들을 고용하여 자동차 부품을 만드는 일을 할 수 있었다. 그 결과 많은 사람이 월급을 받아 자녀들을 키우고 자동차가 완성되게 하여 많은 사람이 먼 거리도 갈 수 있어 일할 수 있는 선택의 폭이 넓어졌다. 돈이 돌았지만 많은 사람에게 더 많은 가치를 산출하게 하였다. 이것이 경제가 아닐까? 가정관리, 분배에서 가정의 개념이 지역으로 사회로 국가로 세계로 커지는 것이고 관리에 수많은 흐름과 제도와 규제와 시스템이 마련되어 경제는 흐른다.

성경에서는 똑같은 단어 '오이코노미아'라는 말이 경륜이라고 번역된다. 하나님의 신성한 경륜! 하나님은 그분의 가정, 권속을 가지고 계신다. 생명의 근원이신 하나님을 통해 이 땅에 수많은 자녀가 예수 그리스도의 역사로 태어나 자라고 성숙하여 가고 있다.

여러분이 거듭나게 된 것은 썩어 없어질 씨로 된 것이 아니라 썩지 않을 씨, 곧 살아 있고 항상 있는 하나님의 말

씀으로 된 것입니다. 베드로 전서 1:23

우리에게 하나님의 생명을 분배하도록, 마음 밭에 떨어진 하나님의 말씀은 싹이 나고 심지어 열매를 맺도록 우리 안에서 자란다.

어제와 오늘이 같고 내일도 같다면 왜 내가 오늘을 살아야 하는지 공허함을 느끼는 젊은이에게 이 말씀이 떨어져 삶의 의미를 깨닫게 하고 생기 넘치는 삶을 살게 하고, 큰 재물을 잃고 좌절하여 갈 길을 잃고 자살을 시도한 어떤 젊은 부인에게 이 말씀이 떨어져 하나님을 알게 하고 그 사라진 모든 재물은 아무것도 아니며 더 값진 것이 있음을 깊은 존재로부터 알게 하시어 모든 것이 소생케 된 것을 체험하게도 하고, 어떤 이에게는 이 말씀은 자신이 그렇게 이기려 애썼던 죄의 문제가 해결되어 더 이상 어둠 가운데 있지 않게 하여 땅만 쳐다보고 살던 사람이 하늘을 우러러볼 수 있게 하시게 한다. 수많은 일이 수많은 사람에게 일어났음을 난 부인할 수 없다. 이것은 지구 어느 한구석에서만 일어난 일이 아니다.

하나님의 말씀은 사람들을 깨우고, 인생의 의미를 알게 하고, 어떤 것이 참되고 귀한지 판단할 능력을 주고, 일생토록 추구할 가치 있는 것이 무엇인지 알 지혜를 준다. 수많은 외적 환경을 통한 고난이 몰려와도 하나님의 말씀은 우릴 격려하고 붙들어 주며 진동치 않게 한다. 우리가 마음을 다하고, 온 힘을 다하여 하나님 그분만을 의지하고 붙들고 사랑한다면, 그분의 말씀은 헛되지 않아 우리 안에 하나님의 뜻을 성취하고 그분의 일을 번성케 한다.

# V.
## 너 자신처럼

# 28. 바닷가 호텔

동해 바닷가 향한 달음질,

꼬인 실타래
온 생각을 쥐어짠 연구실,
일상을 뒤로 개어 놓고
우리 가족은
바닷가 호텔로

하늘 조각, 바다 조각 하나
할당받은
바다 향한 방

맘속 쌓아놓았던 짐일랑
도란도란 대화 속에
열린 창을 향해 날려 보낸다.

며칠간 뒤덮은
먼지 짙었던 하늘이
짙푸른 얼굴을 드러내길 바라듯,
우리 마음도
다시 푸르러지길

# 29. 동네 강아지

주말이면 아내와 하루 한두 번은 동네를 걷는다. 요샌 한낮에 더위를 피해 아침과 해가 떨어질 무렵 걷곤 하는데 걷다 보면 개들과 함께 산책 나온 이웃들과 마주치곤 한다.

언젠가 자신이 데리고 나온 개를 지나가는 사람이 관심하고 만지고 하는 것을 싫어하는 듯한 이야기를 하는 사람의 말을 들은 적이 있어 우리 부부도 웬만하면 별로 아는 체를 안 하려 하는데 그래도 이렇게 저렇게 알게 된 개 주인들이 있는데 사실 견주라기보다는 개를 더 알게 되는 경우가 대부분이다.

벨지안 쉽독인 '오디', 스피츠인 '기뇽'이, 무슨 종인지 기억 안 나는 '빵뚜'... 사람을 아는 체하긴 쉽지 않지만, 개가 반가워하여 인사를 나누다 보면 견주와도 인사하게 되는데 그래서 반려견을 키우는 사람들이 건강할지도 모르겠다는 생각이 들기도 한다. 정신적으로도 사람들과 소통할 기회가 더 많이 생길 테니 말이다.

어느 날 원주 회사 근처를 아침 일찍 걷고 있는데 앞서가던 개가 주인의 행보와 달리 주춤주춤 힐끗힐끗 뒤에 가는 나를 보더니 이내 주저앉아버렸다, 주인은 갈 길을 재촉하려 하나 이 개는 가다가 다시 서곤 하였다. 내가 그 개를 보고 웃자 이내 내게 달려들어 반갑게 인사한다. 쓰담쓰담 해주면서 "인사하고 싶었구나, 그래 운동 나왔어? 운동 잘하고 가." 해주었더니 그 개는 마음이 시원해진 모양이다. 웰시코기 종이었는데 이름을 미처 묻지는 못하였다.

반려견을 키우면서 그동안 알지 못했던 개들의 능력, 성격, 행동에 관한 인류의 연구와 이해는 더 넓혀져 가고 있다. 다큐멘터리에서도 개에 대한 다양한 방면의 이야기들을 쉽게 접할 수 있고 유튜브에는 천재견 이야기들이 수도 없이 올라온다.

이번 여름 딸아이가 사는 브리즈번에 휴가차 다녀왔는데 푸들과 킹 찰스 카발리에의 혼혈종이고 사람으로 치면 청소년기에 있는 개인데, 옅은 브라운 색을 띠고 있어 모카라고 이름 지었다.

이번엔 내가 개를 데리고 나가는 위치에 있게 되었다. 그동안 산책 나온 동네 개들과 인사를 나누는 위치였는데 말이다. 모든 개가 그렇겠지만 산책하자면 좋아하는 내색이 분명한데 때로는 앞에 와서 빤히 내 얼굴을 쳐다본다. 그래서 일어나 따라가면 자기가 하고 싶은 행동을 할 곳으로 인도한다. 말은 못 하지만 '난 이것하고 싶어요'라는 분명한 메시지를 주는데 그중 모카가 좋아하는 것이 산책이다. 아직 어려서 그런지 길을 걷다 보면 온갖 것이 다 궁금하고 이것저것 입으로 가져간다. 아기들이 물건을 입으로 가져가는 시기가 있는 것처럼 말이다.

목줄을 하고 집 근처 동네를 산책하다 보면 온 동네 개들이 짖

어대며 아는 체를 해댄다. 알아들을 수 없으니 반갑다는 것인지 접근하지 말라는 것이지 나로서는 알 수 없으나, 딸아이의 말에 의하면 모카와 친한 개들이 있다고 한다. 어떤 개는 위협적으로 큰 덩치를 가진 개인데 근처를 지날 때 쩌렁쩌렁거릴 정도로 짖으나 이내 모카를 보면 꼬리를 살랑거리며 낑낑대는데 집 밖에 자유로운 모카는 슬쩍 인사만 하고 휙 지나쳐 버린다. 아쉽다는 듯이 낑낑대는 그 큰 개를 뒤로 한 채, 내가 미안할 정도로 지나가 버린다.

목줄을 풀어 줄 수 있는 공원에 도착하여 풀어주면 얼마나 신나게 달리는지 아무리 불러도 올 생각을 안 한다. 사람이 거의 없는 한적한 곳이라 다행인데 멀리서 사람이 보이면 딸네는 모카를 얼른 돌아오게 하여 붙들어 준다. 개를 무서워하는 사람도 있어서 그렇다고 하는데 모카와의 산책에 신경 쓸 일들이 한둘이 아니다. 그래도 산책하다 조우하는 입장보다는 개를 데리고 산책하러 나가는 것이 좀 더 낫게 여겨지는데, 이 말을 듣는 듯 듣지 않고 따르는 듯 따르지 않는 녀석들이 사람들에게 주는 기쁨은 적지 않은 모양이다.

이제 귀국해서 카톡으로만 모카를 보고 있는데 앞에 와서 빤히 쳐다보며 자신이 하고 싶은 것을 전하려 하는 녀석의 모습이 선하기만 하다.

딸아이가 키우는 모카, 호주에서는 카바푸들이라고 하는 종인
데 킹 찰스 스패니얼과 푸들의 후손이라 그렇게 부른다.

# 30. 벌레르기

　우리 집 막내는 벌레에 대해 알레르기 반응을 일으킨다. 집먼지진드기에 대한 알레르기가 있어 알레르기 비염 등으로 고생을 했으나 소아 연령층으로 보면 인구의 18% 정도가 집먼지진드기에 의한 알레르기 비염을 갖고 있다는데, 이 일로 신조어인 '벌레르기'란 말을 구태여 만들어 보려는 것은 아니다.

　어렸을 때는 여자아이답지 않게 벌레를 보아도 아무렇지 않게 여기고 다소 큰 벌레도 손바닥으로 쳐서 잡던 아이가 훌쩍 커버린 지금 벌레만 보면 비명을 지르고 질겁을 하니 그것이 참으로 기이하다.

　며칠 전 생일이 되어 막내와 막내 친구와 우리 부부가 점심 식사를 같이한 후 다산 생태공원 인근 카페에 가서 커피와 다과를 하며 고상하게 말하면 담화를 즐기고 평상어로 말하면 수다를 떨다가, 창밖 멀리 강변으로 난 길이 아름다워 보여 걷자고 하였다. 막내는 카페 앞 누렇게 익은 보리밭 주위를 걷자는 줄 알고 흔쾌히 따라 나왔다가 강으로 향한 오솔길을 걸으며 벌레들의 출현 빈도가 올라가자 왜 이런 길을 가느냐, 얼마 걸리느냐, 으악, 내 옷차림을 보고 갈 길을 선택해 주어야지 않느냐며 계속 구시렁대며 따라왔다.

작은 언덕길을 두 번 올라갈 때까지 간헐적인 벌레들과의 조우와 이에 따른 아빠에 대한 비난의 총알들이 한참 쏟아질 무렵 드디어 강변에 도달했는데 막내의 목소리가 완전히 평온해지며 "어 저거 오리 아니야? 새끼인가 봐! 정말 귀엽네." 드디어 벌레르기 증상에서 벗어난 모양이다. 시간이 지난 후 슬쩍 물어보았다. 잘 왔지? 아인 "네" 하는 대답으로 아까 쏟아부었던 총알들에 대한 미안한 마음을 대신하였다.

 막내와 친구 그리고 아내가 논에 촘촘히 흩뿌려지듯 자란 개구리밥을 보며 "왜 개구리밥이야?", "개구리가 저걸 진짜 먹는 건가?" 쉼이 없는 대화가 오가며 이렇게 올해 초여름은 강변에서 따사로운 햇볕과 함께 오고 있었다.

강변을 향해 걸었던 길, 막내가 뒤따라오며 우리를 찍었다.

# 31. 용서 (1)

 장례식을 보면 그 사람이 생전에 미친 영향을 미루어 알 수 있다. 사망의 영역 안으로 간 그 사람은 어떤 권세도 영향력도 행사할 수 없으므로 그 사람을 애도하며 장례식장을 방문한다는 것은 진정성이 있다. '정승 집 개가 죽으면 초상집이 넘쳐나도 정승이 죽으면 개미 한 마리도 없다'라는 과장되지만 뼈 있는 속담이 있지 않은가?

 2022년 9월 19일 웨스트민스터 사원에서 있었던 여왕 엘리자베스 2세의 장례식의 경우 우리나라의 윤 대통령 내외, 바이든 미국 대통령 내외, 트뤼도 캐나다 총리, 아던 뉴질랜드 총리, 앨버니지 호주 총리 등을 포함한 200여 나라의 18명의 군주, 55명의 대통령, 25명의 수상 등 각 나라의 지도자들이 대거 참석하였고 14일부터 19일간 웨스트민스터 홀에 안치된 여왕에 대한 애도의 뜻을 표한 행렬은 끊임없이 이어지며 15만여 명이 애도의 뜻을 전하였다고 하니 장엄한 세기의 장례식이라 아니할 수 없다. 이는 영국이란 나라가 차지하는 세계사적 위치와 현재의 세계적인 위상 그리고 그 나라의 상징과도 같은 여왕의 죽음이었기에 더욱 그러하였을 것이다. 누구의 장례식이 이와 같을까?

 그런데 이 장례식을 대하였을 때 또 다른 한 사람의 장례식이 떠올랐다. 엘리자베스 2세의 장례식 9년 전, 영국만큼 세계사에 영향을 끼치지 못했던 나라, 영국에 지배를 받았던 나라, 그리고 심지어 투옥되었다 훗날 그 나라의 지도자가 되었던 남아프리카공화국의 넬슨 만델라의 2013년 12월 15일의 장례식이 말이다. 당시 장례식에는 91개국 정상과 10명의 전직 국가수반이 참석했다. 정확한 통계는 찾기 힘들었지만 조문객의 수는 수만 명이 넘었다. 그를 핍박하였던 영국은 링컨 대통령과 처칠 수상의 동상이 있는 런던 의회 광장에 만델라의 생전에 그의 동상을 세우기도 하였다. 무엇이 핍박하던 사람들로 그를 위대한 인물로 여겨지게 하였고 전 세계가 역사상 주목을 받지 않았던 한 나라의 대통령을 전 세계가 이렇게 추모하고 존경하게 했을까?

남아프리카공화국의 최근 역사를 보면 네덜란드에 이어 영국의 자치 식민지였다가 영국연방의 자치 독립국의 지위를 가지게 되었다. 1960년에 대통령을 원수로 하는 공화제로 변경하여 남아프리카 공화국이 탄생하였고 그 이듬해에 영국연방을 탈퇴하였다. 하지만 여전히 백인들이 권력을 소유하는 형태에서 크게 벗어나지 못하였다가 1993년 4월 아프리카민족회의가 62.5%를 획득 제1당이 되면서 정권을 얻게 되고 넬슨 만델라가 남아프리카 공화국의 대통령이 되면서 아프리카인들이 진정으로 통치하는 국가를 이루게 되었다.

당시 그동안 갖은 인종차별과 흑인들에게 어려움을 주었던 백인들은 흑인들의 보복을 당할 것을 우려하였으나 만델라는 과거사에 대해서 그 유명한 '잊지 않지만, 용서하겠다(forgive without forgetting)'는 말을 하였다. 만약 만델라가 용서하지 않았다면 어떻게 되었을까? 역사에 가정은 없다고 하지만 추측건대 물질적, 지적, 인적 자원이 남아프리카에서 이른 시일 안에 큰 규모로 소실되었을 것이고 그 영향은 남아프리카공화국 국민에게 고스란히 돌아가게 되었을 것이다. 이러한 손실을 보지 않게 된 것을 떠나서 그의 화해의 정신은 이 시대를 사는 인류에 큰 본보기가 되고 정신적 자산으로 남게 되었다.

이러한 일은 미국의 남북전쟁 때 북군의 그랜트 장군이 패배한 남군의 리장군에 대해서 한 일과 같은 맥락을 이룬다. 그랜트 장군은 아무 조건도 내세우지 않고 리 장군의 항복을 받아들임으로, 즉 어떤 배상의 책임도 지우지 않았지만 미합중국의 하나라는 더 큰 유산을 물려받게 하였다.

> 왜냐하면 여러분이 사람들의 허물을 용서한다면, 여러분의 하늘의 아버지도 여러분을 용서하실 것이지만, 여러분이 사람들의 허물을 용서하지 않는다면, 여러분의 아버지도 여러분의 허물을 용서하지 않으실 것이기 때문입니다. 마태복음 6:14-15

오늘날 우리 민족, 우리나라 사람들이 처한 하나의 크나 큰 사회 문제가 있는데 이것은 '을(乙)의 병(病)'이다. 과거 의사들은 진료 현장에서 절대적 권위를 갖고 있었다. 환자나 보호자들은 질병의 약함을 가진 을의 위치에 있는 사람들이었다. 다 그런 것은 아니지만 일부 의사들은 갑의 위치에서 심지어 젊은 의사가 나이 든 환자분에게 반말하며 강압적으로 대하기도 하였고 환자나 보호자는 의사가 질병을 치료하는 과정에서 상의할 대상이 아니라 통보해 줄 대상이었을 뿐이었다.

 과거 선생님들 또한 교육 현장에서 절대적 권위를 갖고 있었다. 선생님 그림자도 밟으면 안 된다고 생각할 정도로 말이다. 선생님 말씀은 절대적이었고 학부모들은 그런 선생님 앞에 죄인처럼 송구스러워할 수 있을 뿐이었다. 어떤 불이익이라도 자신의 자녀가 당해서는 안 되기 때문에 말이다. 물론 훌륭하신 선생님들에 대한 존경의 마음이 컸었기에 그리하시기도 했을 것이다.

 군대에서 상급자들 역시 절대적 권위를 가지고 있었다. 상관의 명령에는 절대복종이 요구되었고 어떤 자신을 위한 변명이나 비호의 말도 정당화될 수 없었다. 그래서 맹장염도 꾀병으로 여겨 사망에 이른 시절도 있었다.

 가정에서도 아버지의 권위는 막강하였다. 삼종지도(三從之道)와 같은 유교적 사상의 비호 아래 부권이 강조되었다. 그래서 세계적으로도 없는 화병이라는 것이 우리나라의 어머니들에겐 있었다.

 세월이 지나고 시대가 바뀌어 억압된 인권이 강조되고 민초들의 목소리가 영향력을 얻고 탈권위주의 흐름이 거세게 흐르게 되었다. 그동안 참아왔던 '을'들은 여기저기서 그 울분들을 토해 내기 시작하였다. 병원에서는 응급실에서 빨리 환자를 봐주지 않는다고 의료인들에게 폭행을 가하였다. 지금은 법적으로 그리 하지 못하는 후속 조치가 이루어지고 있지만, 한동안, 우리 사회 는 이런 일이 일어나도 '방조'하였다. 왜냐면 을의 울분을 이해했 기 때문이었다. 소아과에서 의사 선생님의 불친절은 곧장 엄마 들의 인터넷 카페에 비난의 대상으로 지목되어 올라갔다. 그래 서 의사 선생 한 사람쯤은 매장시켜버리는 것은 아무 일도 아니 라고 생각하게 되었고 이런 일들은 상당히 진행되었다.

 학교에서는 선생님들은 인권 문제로 아이들을 더는 체벌할 수 없게 되었다. 심지어 선생님이 폭력의 피해자가 되어도 사회는 선생님들의 편에 서 줄 생각을 하지 않았다 상당 기간을 말이 다. 그동안 울분이 많이 쌓였던 까닭에 말이다. 군대에서는 훈련 하지 않는 것이 훌륭한 지휘관이란 소리가 나올 지경이 되었다. 훈련하다 사병이 다치기라도 하면 그 책임은 지휘관 몫이 되어 버리고 그 모든 비난의 화살은 총알보다 더 무서운 것이기 때문 이었다. 무사히 의무복무기간을 잘 지내다가 사회로 복귀시킨다 면 잘하는 지휘관이 아닌가? 아버지의 서열도 키우는 개 다음으 로 밀려난 사회가 된 지 오래되었다.

 그러다 보니 사회의 여러 분야에서 여기저기 둑이 무너져 내리 고 있다. 그 자리에 서 있어야 할 사람들이 점차 떠나고 있고, 그

자리를 지키고 있는 사람들도 문제가 될 일은 온갖 핑계를 대고 한쪽으로 미루어버리고 있다. 그 모든 피해는 인식하든 하지 못하든, 직접적 형태든 간접적 형태든 그대로 을에게 돌아가고 있다. 이것이 우리나라에서 지금 사회 각 분야에 걸쳐 일어나고 있는 '을병(乙病)'이다. 이에 더하여 을의 울분을 이용하여 권력을 소유하려는 사람들도 있다. 이러한 사람들은 갑이 을에게 하였던 해악이나 을의 과도한 반격으로 인한 손상보다도 더 우리 사회를 병들게 한다. 우리에겐 만델라와 같은 지도자가 필요하고, 자신을 찌른 자를 용서해주고 계셨던 주 예수님의 은혜가 너무나도 필요한 시대에 살고 있다. 용서하지 못한다면 결국엔 혼자만 남게 될 것이다.

# 32. 용서 (2)

 우리 민족이 지닌 주된 정서적 특징이 한(恨)인지 흥(興)인지 아니면 둘 다인지, 흥이 많다가 역사적 과정상 한이 지배적이었다가 다시 흥의 속성으로 돌아섰는지 사회학적으로 분석과 연구가 필요하겠지만 '한이 서려 있다'라는 말은 우리가 흔히 쓰거나 듣는 말이었다. 어느 정도 우리 안에 한(恨)의 유전자가 있다는 것은 부정하기 힘든 일일 것이다. 물론 우리 민족에게만 한이 있는 것은 아니다. 아일랜드인들에게도 한이 서려 있다. 1800년대 중반의 대기근 동안 굶어 죽은 사람만 백만 명이라고 하는데 당시 영국의 지주들은 이들에게 도움을 주지 않았다. 아일랜드의 눈물로 불리는 이 고난은 오늘날까지도 그들에겐 잊지 못할 역사가 되었다.

 억눌렸던 을의 위치에 있던 사람들이 시대가 바뀌고 사회적 수준도 높아지고 권리를 주장할 수 있게 되었을 때 과거 '갑(甲) 다움'을 몰랐던 사람들처럼 우리는 '을(乙) 다움'을 모르고 행동하기 시작하였다. 한의 유전자의 발현으로 인한 영향이었는지, 을의 위치에서 손해를 보았을 때 끝까지 그리고 처절하게 자신의 권리를 주장하는 일들이 사회 각처에서 일어났다. 병원에서, 학교에서, 사고 현장에서 나의 한이 다 풀리도록 끝까지 극도로 행동하는 모습들이 이젠 더는 낯설지도 않다.

그러던 어느 날 나의 눈을 의심케 하는 뉴스를 대하게 되었다. 천안함이 침몰하였을 때 실종자 수색이 한창 이루어지고 있었을 때였다. 빠른 조류와 높은 수압 등의 수색의 열악한 환경 가운데 해군 특수전여단 소속 한주호 준위가 그 과정에서 사망하기도 하였다. 이러한 상황 가운데 가족 협의회 대표는 "잠수 요원이 선체 내부에 진입할 경우 희생이 발생할 위험이 커 해군 당국에 수색작업을 중단해 달라고 통보했다"라고 하면서 실종자 가족들이 의견을 같이하며 "더 이상 아픈 희생이 나오지 않았으면 한다"라고 말했다는 것이었다.

그 소식을 접하면서 나는 우리 안에 내려오던 한의 유전자가 끊어지는 느낌을 받았다. 자신의 잃어버린 가족에 대한 사랑과 소중함은 뼈를 깎이는 듯 사무쳤겠지만 이로 인한 무고한 또 다른 희생이 나와서는 안 되겠다는, 한두 사람도 아닌 가족들 모든 이의 생각이 일치한 선언이라니! '을다움'이 무엇인지 보여주는, 사회 구성원으로서 우리가 어떻게 서로 역할을 해나가야 하는지를 보여준 너무나도 고귀한 모습이었다. 나의 눈물은 마지막 한 방울이라도 철저히 보상받아야 한다는 악다구니의 을의 모습이 아닌, 그렇게 함으로써 갑의 해악과 같거나 심지어 더한 해악을 끼치는 것이 아닌, 숭고한 사회의 구성원으로서의 행동을 보인 그들에게 머리를 숙여 경애의 마음을 표하지 않을 수 없었다. 2010년 4월 3일의 일이었다.

'너는 너의 이웃을 너 자신처럼 사랑해야 한다.'라는 둘째
계명도 이것에 못지않습니다. 온 율법과 신언서가 이 두

계명에 달려 있습니다. 마태복음 22:39-40

 이제 우리 사회는 용서하기를 배워야 할 때이다. 용서하라고 누구도 요구할 수 없다. 그 시점 그 상황에 그가 받은 고통과 상처를 이해한다고 말하는 것은 어리석은 말이다. 누구도 을의 위치에서 당한 상처를 다 이해해 주고 평가할 수는 없다. 그러므로 용서하고 안 하고는 고스란히 그의 몫이다. 그러나 우리 사회가 더 성숙하고 서로 사랑하고 평온한 사회를 원한다면, 우리는 이제 용서하기를 배워야 하며 갑은 '갑다움'을 을은 '을다움'을 배워야 할 때이다. 우리 자신이 무한하지 않은 수많은 제한점을 지닌 약한 사람들임을 잊지 말자.

# 33. 하나님과 사람의 차이

하나님은 사람을 얻기 위해 일하시고,
사람은 일을 성취하기 위해 다른 사람을 이용한다.

하나님에게는 사람이 목적이고,
사람에게는 다른 이가 수단이다.

그렇지 않은 사람을 만날 때
우린 그 사람이 진정성이 있다고 말한다.

사람이 목적일 때 원수를 사랑할 수 있고,
일이 목적일 때 친한 이가 원수가 되기도 한다.

# 34. 사랑은 키워가는 거야

 오랫동안 우리 부부와 알아 왔던 청년 자매가 결혼하게 되어 주례를 부탁해 왔다. 귀한 청년이기에 선뜻 승낙하였으나 그의 일생 가장 소중한 날에 무슨 말을 해주어야 할지 부담이 컸다. 평소와 같이 운동 겸 길을 걷다 보니, 앞선 신실한 믿는 이인 란 캥거스 형제님이 남가주 학부모 집회에서 부부간의 관계를 사랑을 키우는 것에 비유한 것이 기억이 났다.

 대개 아내들은 남편이 자신을 얼마나 사랑하는지 관심하고, 남편들은 자신을 아내가 얼마나 존중하는지를 관심한다. 그런데 두 사람이 가정을 이루었을 때 그들의 관계에 따라 사랑이 자랄 수도 있고 그렇지 않을 수도 있는데, 이는 일방적으로 '누가 누굴 얼마나 사랑하는가'하는 것보다는 서로를 어떻게 대하느냐에 따라 사랑이 잘 자랄 수도 있고 그렇지 않을 수도 있다는 내용이었다.

 이 비유는 내게 많은 인상을 주었고 결혼생활을 한 지 35년을 넘긴 나의 체험과 주변의 많은 부부와의 대화를 통해서도 다분히 동의가 되는 것이었다.

 사랑은 표현된 관심과 나타난 애정과 실행된 존경과 세심한 배려와 마음 깊은 곳의 신뢰를 먹고 자란다. 마음은 있지만 표현하고 나타내 보이지 않은 마음으로는 사랑을 키우기 힘들다.

 마음은 진득이 있는데 표현하지 못하여 사랑은 자라기 힘들어질 때가 많다. 일례로 아내가 감기에 걸려 누워 있을 때 남편이 온종일 일터에서 온갖 스트레스를 받고 귀가하였다 하자. 남편은 아내가 아파 누워 있는 것을 보고 "괜찮아?" 한마디 묻고 냉장고 문을 열고 묵묵히 저녁밥을 차려 먹는다. 남편은 아내가 힘들므로 아내를 사랑하는 마음으로 아내가 쉴 수 있게 알아서 저녁 식사를 해결하려고 한 것이었다. 그러나 그때 아내의 생각 속에는 이 남편이 날 사랑하는 것인지 의문이 들기 시작한다. 이마라도 짚어 보고, 열도 재보고 약은 먹었는지 저녁 식사는 죽이라도 사다 줄까 이런 이야기를 기대하였건만 "혼자 꾸역꾸역 밥을 잘도 먹고 있네"라는 생각이 들어 눈물이 주르륵 흐르지만 모로 누우며 내색을 하지 않는다. 남편은 그것도 모르고 식사 후 하루 동안 너무 피곤하였으므로 아내를 방해하지 않을 요량으로 거실 소파에서 이내 잠이 든다. 이렇게 표현되지 않은 마음은 사랑을 키워가기 힘들다. 마음에 있었던 것을 좀 더 표현해보고 행동으로 옮긴다면 크나큰 차이를 가져올 것이다.

 더 나가 사랑의 성장을 해치는 해충이 있는데 무례함과 무시와 판단함과 정죄함의 마음이다. 최악의 해충은 신뢰하지 않는 마음이다. 나이가 들어가도 우린 서로의 관심과 배려와 지지해주는 말과 진심에서 나오는 격려와 서로를 감상하는 자세가 있어야 한다.

마찬가지로 아내 여러분, 자기 남편에게 복종하십시오. 그러면 말씀에 불순종하는 남편들일지라도, 그들은 말씀이 아닌 아내들의 생활 방식을 통해서 얻어질 것입니다. [7] 마찬가지로 남편 여러분, 지식에 따라 아내와 함께 살아야 합니다. 아내는 더 약한, 여성의 그릇으로서, 또한 생명의 은혜를 함께 상속받을 사람이니, 아내를 존중하십시오. 그리하여 여러분의 기도가 방해받지 않도록 하십시오. 베드로전서 3:1, 7

주례사를 길게 하면 하객들이 피곤해하므로 이만 줄인다.

## 35. 물과 마음

 직장생활에서, 크고 작은 그룹의 인간관계에서, 심지어 가정이나 부부나 연인 관계에서 다른 사람을 자신의 영향력 아래 두려는 시도를 흔히 하게 되고 그런 경향이 짙은 사람에 대해 우린 타인을 자기 손아귀에 두려 한다고 말한다.

 때론 위압적 자세나 말투로, 때론 자신이 공헌해 왔던 업적으로, 때론 상대에게 줄 수 있는 것이 많다는 점을 은연중에 강조하기도 하며, 드물지 않게는 간교하게 상대를 협박까지 하면서 말이다.

 하지만 물을 잡으려 해도 잡을 수 없는 것 같이, 타인의 마음은 잡으려 하면 할수록 빠져나가고 손안엔 남겨진 것이 없다.

 두 손으로 담가야 물이 손안에 머무는 것 같이, 그렇게 사람을 대할 때야 사람의 마음을 진정으로 얻을 수 있는데, 그것도 오래 내게 남겨 두긴 힘든 일이다. 우린 그렇게 매력적인 존재가 되지 못하기 때문이다. 당신이 아무리 위대한 사람이라 할지라도 당신과 며칠을 지내보면 다 드러나게 된다. 그렇게 사모할만한 사람이 아니란 것이 말이다.

 그러니 타인을 자신의 손안에 두려 그렇게 애쓰지 말기 바란다. 다만 그가 스스로 당신 주위에 머물도록 자신을 낮추고 어떤 것도 잡으려 하지 말라.

> 밤에 제 혼이 주님을 사모하고 / 참으로 새벽에 제 영이 제 속에서부터 주님을 찾음은 / 주님께서 땅을 심판하실 때라야 / 세상 주민들이 의를 배우는 까닭입니다. 이사야 26:9

# VI.
## 두 사람이

# 36. 내 마음의 블랙박스

　블랙박스엔 모든 운항에 관련된 정보가 기록되어 있다. 그 블랙박스를 들여다본다는 것은 유쾌한 일이 아닌데, 왜냐하면 대형사고가 났다는 이야기이기 때문이다. 비행기가 떨어져 대형참사가 일어났을 때 제일 먼저 찾게 되는 것이 블랙박스 아닌가? 블랙박스의 용도가 가장 클 때는 해당 비행기의 사고로 인한 손상이 가장 크게 일어났을 때이다.

　우리 존재에도 블랙박스가 있지 않은가? 우리 깊은 마음속 어딘가에 말이다. 기억에 남을지 인식하지 못한 채 매일 일상을 살고 있지만 우리 존재 깊은 곳엔 블랙박스에 모든 일이 기록되고 있다. 우리의 일생을 마치는 가장 큰 사건이 일어날 때 이 블랙박스가 열리게 되는데 이전 임사체험에 관한 글에서도 언급하였지만, 죽음을 체험한 사람들에 따르면 죽음의 순간 일생의 전 과정이 순식간에 내 앞에 주마등같이 펼쳐져 지나간다는 것이다. 그때 자신의 주관적 관점만이 아닌 상대의 관점으로도 그 상황들을 볼 수 있게 되었다고 하니, 모든 일이 이해할 수 있고 따라서 모든 오해가 사라지고 마음도 평온해진다고 말하는데, 사실 우리 마음이 괴로운 것은 상대를 오해하거나 오해하고 싶기 때문이 아니었던가?

　내 마음의 블랙박스엔 너무나도 생생하게 기록된, 숨소리까지도 기억할 만큼 선명히 기록돼 있는 부분이 있다. 돌보던 환자의 죽음, 사랑하는 가족들의 반복된 암 수술, 원인 모를 통증을 동반한 자녀의 고통... 당시 하나하나의 사건들이 나의 존재 깊은 곳에 큰 상처를 주고 고통스럽게 하고 암울하게 하고 절망을 주는 일들이었다. 이런 일들은 내 인생의 블랙박스 안에 고스란히 깊이 기록되어 있다.

이런 큰 사건이 내게 일어났을 때, 블랙박스의 지나간 기록들을 열어 조사해보면, 내가 감당할 수 있을 것 같지 않은 사안이나 환경이나 일들이 내게 엄습해 올 때 나에게 유일한 돌파구는 주 예수 그리스도이셨다.

노아는 자신의 힘으로 사십일 밤낮으로 내릴 홍수와 싸워 이길 능력이 없었다. 그 사망의 흉흉한 물결을 어떻게 그가 사십 일간을 싸워 이길 수 있겠는가? 코로 호흡하는 모든 동물의 생명을 앗아갈 이 거센 대홍수의 파고를 그는 하루라도 견딜 수 있는 사람이 아니었다. 하지만 그는 하나님께서 지시하신 것에 따라 자신을 구원해 줄 방주를 짓고 그 안에 들어갈 수는 있었다. 방주에 들어갈 때 밖의 상황이 어떠할지라도 노아와 그와 함께한 모든 이들은 평온할 수 있었다.

블랙박스의 기록을 돌아보아야 할 만한 격심한 고난과 환경이 찾아올 때, 내게 피할 수 있는 오늘날의 방주이신 분이 계신 것으로 인하여 감사하자! 이 어떠한 구원인가.

그러나 주님께로 피하는 모든 사람은 기뻐하게 하시고 영원토록 기뻐 외치게 해 주시며 주님께서 그들을 덮어 주십시오. 주님의 이름을 사랑하는 사람들은 주님 안에서 크게 기뻐할 것입니다. 시편 5:11

# 37. 이 시대에 참된 것을 찾아서

 집안과 주위에서 권하여, 들어가면 행복하리라 생각했던 그 대학을 졸업했어도 공허합니다. 하면서 칠판에 0을 적으셨다. 원하는 직장을 얻으면 좋으려나 해서 밤낮 공부했지만 합격한 지 며칠이 안 돼서 공허하였습니다. 그리고 또 0을 적으셨다. 결혼해 자신의 가정을 이루면 달라지리라 생각했지만 그리하여도 깊은 속에는 여전히 공허하였습니다. 그리고 또 그 앞에 0을 적으셨다.

 아이를 가지면, 승진하면, 집을 사면…. 이렇게 계속 목표설정과 성취가 잇따를수록 칠판에 적힌 0이 붙어났다.

000,000,000

 대만에서 한국을 방문하셨던 임천득 형제님의 말씀이었다. 오래전에 들은 이야기라 정확한 표현까지 전하진 못하고 내 기억에 남은 내용으로 편집된 점을 고려하여 읽어주시기를 바란다. 당시 이 이야기를 해주신 임 형제님의 외모가 다소 촌스러워 보였고, 한참 젊은 나이에 도전적인 사회생활에 직면해 있던 나로서는 이런 말씀이 잘 와닿지 않았다. 오히려 "왜 저런 말씀을 하시지?" 하는 반응을 했었다.

하지만 시간이 점차 지나고 임형제님이 예로 드셨던 일들이 하나하나 내게도 일어나기 시작하였고 수많은 목표와 얻어진 것들이 늘어났지만 하나하나가 그다지 의미 있게 느껴지지 않았다. 아무리 0이 많아도 0일뿐, 그래서 솔로몬은 말하였나 보다.

> 전도자가 말한다. "허무 중의 허무, / 허무 중의 허무라. 모든 것이 허무여라." 사람이 해 아래에서 하는 모든 일이 / 무슨 유익이 있는가? [10] 사람이 무엇을 두고 "보아라, 이것이 새것이다." 할 수 있겠는가? / 그것은 우리 이전 시대에 이미 있던 것이다. 전도서 1:2-3, 10

임형제 님은 말씀을 이어 나가셨다. '그런데 어느 날 주 예수님을 자신을 구원하시는 분으로, 구주로 받아들이게 되면 여러분은 1을 얻게 됩니다. 하나님은 성경에서 1로 예표 되곤 하는데 왜냐하면 유일하신 하나님이시기 때문입니다. 그럼 여러분에게, 여러분이 가진 것에는 다음과 같은 일이 일어납니다.' 그러시고는 칠판에 1을 수많은 0 앞에 적어 놓으셨다.

1,000,000,000

'당신이 얻었었지만 그다지 의미 있게 여겨지지 않았던 한 가지 한 가지 항목들이 다 진지하고 의미 있는 것으로 살아나며, 가치 있게 여겨지고 참으로 행복하게 느껴지는 것입니다. 당신이 나온 대학도 의미가 있고 당신이 다니는 직장도 의미가 있

고, 당신의 아내, 자녀, 집 심지어 키우는 강아지까지도 다 의미 있는 것이 됩니다.'

 이런 취지의 말씀이셨던 것으로 기억되는데 지금 인생의 내리막길을 걷는 나에게 이 말씀이 참되다고 느껴진다는 것을 꼭 말씀드리고 싶다. 당신을 공허하게 만들었던 것들이 많을수록 하나님을 만나면 의미 있는 것들로 당신에게 다가올 것이다. 친구여 이제 마음을 그렇게 부여잡지 말고 당신을 지으신 하나님께 조금 열어드려 보도록 하라. 그렇게 당신의 일생에 하나님께서 들어오시게 해드려 보라. 인생의 참된 의미를 조금씩 조금씩 살아 내게 될 것이다.

> 또한 젊은 날에 너의 창조주를 기억하여라, 악한 날들이 오고 네가 말하기를 "내게 아무런 즐거움이 없구나."라고 할 그런 해들이 가까이 오기 전에 전도서 12:1

# 38. 마음

예수님께서 그들에게 말씀하셨다. "이사야가 위선적인
여러분에 관하여 잘 신언하여 '이 백성이 입술로는 나를
공경하지만, 마음은 나에게서 멀리 떠나 있다.   마가복음
7:6

하나님과의 관계 맺음은 궁극적으로는 우리의 온 일생을 요구
하는 문제이다. 하나님께서는 우리 존재를 얻으시도록 우리가
허락해 드리라고 요구하시지, 엉덩이를 저만치 내밀고 내가 필
요할 때 손끝만을 살짝 내미는 것을 원치 않으신다.

하나님께서는 우리의 온 존재가 그분과 하나가 되어, 우리의 삶
의 여정에서 우리와 함께 한 발짝 한 발짝 걸어 나가길 원하신
다. 얇고 피상적인 관계는 하나님의 마음을 만족시키지 못한다.

그분은 오늘 우리 속 깊은 곳에서 하나님께 부르짖는 기도를 기
다리고 계신다. 오늘날 세상의 얼마나 많은 것들이, 인터넷과
SNS의 내용들과 오락물들이 우릴 얇은 사람들로 만들며 하나님
과의 깊은 관계를 방해하는지.

그래서 나는 그 세대에 대하여 언짢아하며 말하였다. '그
들은 항상 마음이 빗나가서 나의 길을 알지 못하였다.' 히

브리서 3:10

우리는 하나님께 이렇게 기도할 필요가 있지 않은가?

　저의 죄들에서 주님의 얼굴을 돌리시고
저의 모든 죄악을 지워 주십시오. 오, 하나님! 제 속에 깨
끗한 마음을 창조하여 주시고
제 안에 견고한 영을 새롭게 하여 주십시오. 시편 51:9-10

# 39. 인생은 고해(苦海)이기만 한 것일까?

우리의 자녀들 세대는 지금까지 살면서 듣고 본 것들에 대한 자신의 판단에 근거하여 결혼하고 싶어 하지 않거나, 결혼하더라도 자녀는 갖고 싶지 않다고 단호히 말하곤 하는데, 그들에게 괜찮으니, 삶은 살만한 것이니, 염려하지 말고 결혼하고 자녀를 낳고 양육하라고 자신 있게 말해줄 수 있겠는가?

아니, 우리 후대는 두 번째라 치고라도, 우리 자신은 남은 인생의 여정을 기쁘게 열정적으로 살만한 것으로 생각하고 있는가? 고난과 고통의 환경들을 겪어 보지 않은 사람들이 흔치 않을 터이고, 어떤 경우 사람이 감당하기에 너무나도 힘든 환경을 만난 경우도 드물지 않은데, 우린 우리의 남은 인생의 여정을 기꺼이 달려가고자 하는가?

어느 날 문득 위와 같은 질문들이 내 마음에 떠 올랐다. 그때 내가 느낀 것은 살아온 시절보다 살아야 할 인생의 여정이 더 길게 남은 시점이든, 여생이 그다지 남지 않은 시점이든 '이 길을 가는 것이 고통스러움 뿐이고 낙이 없고 암울하기만 하다고 단정 짓는 것은 하나님을 모독하는 것이다'라는 것이다. 그렇게 말하는 것은 천지를 지으시고 우릴 지으신 하나님께서 실패하신 분이시라 하는 것이기 때문이다.

만약 인생을 사는 것이 고통스러운 나날뿐이므로 낙이 없다는 말이 맞다면, 암울할 수밖에 없는 삶을 살도록 이 세상을 창조하신 것이니 신께서 잘못 창조하신 것 아닌가? 하지만 인생의 고난과 말할 수 없는 어려움을 겪었던 사람의 입장에서는 나의 남은 일생도 계속 어려움만 있을 것이다라고 생각할 수도 있는데, 그런 어려웠던 시간만이 나의 남은 일생 동안에도 지속될 것이라면 암울하기만 하고 더 살 소망이 없다고 말할 수밖에 없지 않겠는가?

하지만 그런 결론을 내리기 전에 먼저 짚고 넘어가야 할 문제가 있다.

나에게 왔던 고난이 우연인가 아니면 어떠한 원인이 있었는가? 우연이라면 앞으로도 그런 고난은 또 불현듯 올 수 있을 것이고, 그 빈도가 매우 높을 것이라면 소망을 갖기 힘들 것이다. 그러나 어떤 원인이 있다면, 그리고 그 원인을 제할 수 있는 것이라면 나는 소망을 갖고 살 수 있을 것이다.

성경은 어떻게 말하는가?

> 사람은 자기가 어리석어 길을 망치고서 마음속으로 여호와께 화를 낸다. 잠언 19:3

많은 경우 사람이 어리석게 행함으로 하나님께서 개입하실 필요도 없이 어리석음의 결과로 고난이 오기도 한다. 며칠 전 잠이 오지 않아 잠자리에서 스마트폰을 한 시간 넘게 본 적이 있었는데 다음 날 목 주위가 아프고 어지러운 증세가 생겨 약간 메스껍기까지 하였다. 나의 어리석은 행동으로 온 일이었다. 이 예는 내가 쉽게 인지할 수 있는 나의 어리석음이었지만 어떤 일들은 내가 인지하지 못한 채 오랫동안 습관적으로 어리석게 행함으로 그 영향으로 인해 일을 그르치게 된다.

나의 어리석음이 야기한 고난의 환경 외에도 삶의 원칙에서 벗어남으로 인하여 오는 고난이 있을 수 있다. 이는 보다 근본적인 문제로부터 야기된 어려움이다.

> 나는 포도나무요, 여러분은 가지들입니다. 그가 내 안에, 내가 그 안에 거하면, 그 사람은 열매를 많이 맺습니다. 왜냐하면 나를 떠나서는 여러분이 아무것도 할 수없기 때문입니다. 요한복음 15:5

위 성경 구절은 우리가 어떤 존재인지 설명해주고 있다. 우리는 포도나무이신 주 예수님의 가지들이며 가지인 우리는 포도나무와 정상적인 관계에 놓여있을 때, 그 나무로부터 오는 풍성한 생명의 연결 안에 거할 때 가지로서의 모든 누림과 열매 맺음에 참여할 수 있다는 것이다.

이전 출간된 뒤영벌에 '미러클 보이'에서 언급한 바 있었는데 사람은 하나님과 떼려야 뗄 수 없는 존재로 지음을 받았으므로 하나님을 떠나는 것 자체가 문제의 근원이 되는 것이다. 참된 믿는 이들은 쉽게 고백할 수 있을 것이다. 하나님의 임재 안에 살지 않는다면 우린 인내할 수도, 참되게 사랑할 수도, 의로운 삶을 살 수도 없다는 것을 말이다. 하나님과 관계가 정상적이지 않다면 결국 우린 공허하게 되고 무기력하게 되며 우울하게 될 것이다.

다음으로 어떤 고난과 어려움은 민족이나 국가 단위로 발생할 수 있다. 이런 경우는 나의 개인적인 문제는 아닌데 성경은 무엇이라고 말하는가? 이스라엘 백성에게 하나님께서 젖과 꿀이 흐르는 땅, 가나안 땅을 주시고자 하셨을 때에 경고로 주신 말씀을 보기로 하자.

> 여호와 그대의 하나님께서 그대에게 만들지 말라고 하신 우상을 그 어떤 형체로도 만들지 않도록 스스로 조심하십시오.... 어떤 형체로든 우상을 만들어 스스로를 부패시키거나 여호와 그대의 하나님께서 보시는 앞에서 악한 일을 하여 그분의 진노를 사면, 내가 오늘 하늘과 땅을 여러분에 대한 증인으로 불러 세우거니와 여러분은 요단강을 건너가 차지할 저 땅에서 반드시 곧 멸망할 것입니다. 여러분은 그곳에서 오래 살지 못하고 완전히 멸망할 것입니다. 여호와께서 여러분을 백성들 가운데 흩어 버리실

것입니다. 여호와께서 여러분을 민족들 가운데로 쫓아 보내실 터인데, 거기서 살아남을 사람이 많지 않을 것입니다.... 신명기 4:22-29

이스라엘 백성이 하나님을 저버리고 그분을 마음에 두길 싫어하고 하나님께 나아가지 않고 하나님을 대치한 것을 사랑하고 마음에 둘 때, 그 백성에게 환란의 환경을 허락하신다.

올여름 유럽에 유난히 자연재해가 급증하였고 영국에서도 유래 없는 폭염이 지속되고, 유럽 각지에 산불이 큰 규모로 발생한 뉴스를 접하면서 내게는 이 일이 매우 이상히 여겨졌다. 사람들은 기후변화를 그 원인으로 주목하였지만 왜 유럽에 이렇게 그 재난이 더할까? 결과론적으로 기상학적으로 이러한 현상이 온 것을 설명할 수 있지만 왜 그 현상이 유럽에 어려움을 주도록 전개되게 발생하였는지는 알 수 없는 일이다. 그것이 너무나 이상하게 여겨져 유럽의 기독교 상황을 조사해 보았는데 놀라운 것을 발견하였다. 기독교를 근간으로 세워진 근대 유럽 각국이 그 신자들의 수가 최근 들어 현저히 줄어들고 있고 이로 인해 성당이, 예배당이 팔려나가 심지어 술집으로, 나이트클럽으로 바뀐 경우까지도 있다는 것이다.

사람이 하나님을 떠날 때, 하나님을 마음에 두길 싫어할 때 하나님께서 일시적으로 그들을 붙들어 주는 손을 놓으시면 자연재해든 초자연적 재해든 환란의 환경들이 임할 수 있는 것은 성경을 읽어 본 사람들은 누구나 알고 있는 사실이다.

 이제 마무리해보자. 많은 경우 우리에게 닥친 고난과 어려운 환경들은 자신의 어리석음에 기인하였거나, 하나님과의 관계가 정상적이지 않았거나 한 국가나 민족이 보편적으로 하나님을 저버린 결과로 인한 것이다. 이러한 것을 깨달았다면 우린 돌이키고 우리와 우리 민족의 죄악을 하나님 앞에 자백하고 그분의 크신 긍휼을 구하며 우리를 구원해 주시도록 간절히 기도해야 한다.

 어떤 경우 우린 필사적으로 하나님께 기도하며 나아가야만 한다. 하나님과의 관계가 정상이 될 때 모든 문제는 우리의 발아래 있을 것이고 우린 복락의 인생을 살게 될 것이다. 그러므로 이렇게 말할 수 있다. 열정적으로 우리의 남은 일생을 진하게 살자. 의미 깊고 진지하게 우리에게 생명을 주신 하나님께 감사하며, 삶의 한 조각도 귀하게 여기며.

# 40. 캄캄하고 무너져 내려도

21년 3월 26일 저녁 보이스 톡이 울렸다. 호주에 사는 딸아이였다. 평소 메일 한두 번씩 통화하는 터라 일상이 거의 공유되고 있는데 딸아이가 질문을 하였다. 사위가 화장실 갔다가 머리가 아프기 시작하였는데 괜찮겠냐는 것이었다. 토하진 않았는지 그리고 의식은 어떤지 물었는데 다른 이상은 없었다. 딸아이가 평소 약간 건강에 대해 예민한 편이라 나는 항상 한 톤을 낮게 반응하는 편이었고 사위도 평소 건강에 별문제가 없던 터라, "혹 토하거나 머리 아픈 것이 심해지거나 졸려 하는 등 의식 변화가 있으면 신속히 응급실로 가라"라고 말하여 주었다. 그런데 이것이 모든 일의 시작일 줄은 꿈에도 생각하지 못하였다.

다음 날 아침 딸아이로부터 다시 전화가 왔다. 머리도 이전과는 다르게 아프고 한두 차례 토하기도 하여 응급실에 왔는데 진찰을 하고 관찰을 하던 중 한 의사가 '갑자기 두통이 생긴 것'이 석연치 않다고 하여 CT 촬영을 권하였고, 그 결과 지주막하 출혈이 소량 있는 것 같다는 이야기를 들은 것이었다. 처음 딸아이의 말을 들었을 때 딸아이가 걱정할까 하여 언급하진 않았던, 가장 염려했던 질병이 발생한 것이었다.

젊은 나이에 지주막하 출혈이라니 머리 혈관 어딘가에 혈관이 작은 풍선처럼 부풀어 오른 동맥류가 생겨 그곳에서 피가 샌 것이리라. 예후가 별로 좋지 않은 병이니 잘 치료를 받아야만 하였다. 그런데 뇌혈관 조영 MRI를 촬영하였는데 동맥류가 보이지 않았다. 출혈이 있었던 부위는 언어중추에 가까운 곳이었다. 그 영향인지 언어가 약간 어눌해졌다.

문헌을 검색해보니 비동맥류성 지주막하 출혈(nonaneurysmal SAH:NASAH)이라는 아형(亞型)이 있었고 전체 지주막 출혈의 15-20% 정도나 되었다. 비교적 젊은 나이에 많고 예후도 더 좋다고 문헌에 보고되어 있었다. 다소 안심을 한 우리는 병원의 지시대로 절대 안정을 취하며 사위가 호전되길 기다렸다. 입원 중 3월 29일 다시 소량의 출혈이 있었으나 시간이 지나면서 어둔하였던 언어도 다시 정상으로 돌아왔고 추적 검사에서도 이상이 없어 4월 13일 퇴원 지시를 받았다. 그런데 이것이 끝이 아니었다.

집에서 안정하면서 지내던 중에, 4월 16일 다시 두통이 발생하여 이전 병원 응급실로 갔는데 CT 재촬영 결과 지주막하 출혈과 뇌실질내 출혈이 동반된 뇌출혈이 재발되었다는 것이었다. 두 번째 뇌출혈이 발생한 것이었다. 이전에 출혈된 원인 병소를 찾지 못하고 퇴원하였는데, 어딘지 알 수 없던 곳에서 또 출혈을 일으킨 것이라는 생각이 들었다. 여전히 출혈의 원인 병소는 찾지 못하였고 절대 안정하며 출혈이 멈추기만을 기다리는 수밖에 없었다. 예후가 좋다고 했는데 왜 재발이 되었을까? 슬슬 불안한 마음이 들기 시작하였다.

두 번째 출혈 후 4월 27일 추가 검사한 MRI에서 처음엔 보이지 않았던 뇌실질 내 병변이 보여 조직검사를 할 필요가 있다는 연락이 왔다. 이렇게 되면 이야기가 달라지는 것이었다. 내가 우려했던 병이 아니라, 비교적 예후가 좋다고 했던 비동맥류성 지주막 출혈이 아니라 다른 무언가가 사위의 뇌에서 일어나고 있는데 의료진도 우리도 그 당시 모르고 있는 것이었다. 상황은 긴박하게 돌아갔다. 딸아이 부부가 머나먼 타국에 살면서, 양가 부모 모두 한국에 살고 있는데, 더구나 당시 코로나가 전 세계를 강타하고 있어 외국에 나갈 경우 가면 2주, 오면 2주 격리를 해야 할 상황 하에 우리 부부 모두 직장생활을 하고 있는 상태에서 선뜻 가볼 수도 없었다. 우린 주위에 함께 교회 생활을 하는 형제자매님(이전 글에 언급한 것처럼 "교회 생활에서 주 예수님을 믿음으로 하나님의 생명으로 다시 태어난 사람들을 생명의 근원이 같으므로 서로 형제자매라고 호칭"한다.)들께 이러한 상황을 알려 드리고 다음과 같이 중보기도를 요청드렸다.

> "이 상황을 놓고 지체들께 중보 기도를 요청드립니다. 주님께서 무언가 얻고자 하시는 것이 있는 것 같은데 H 형제(사위)와 S 자매(딸) 그리고 우리 모두가 하나님의 마음의 갈망을 깨닫고 이에 응하도록, 각 사람 안에 그분의 얼굴을 비추시어 은혜 주시기 원하고 발걸음을 인도해주시길 원합니다. 이 모든 과정에 악한 자가 개입하지 않도록 또한 S자매가 은혜 가운데 이 모든 과정에서 H 형제를 지지하고 돌볼 수 있도록 주님의 부활 생명이 H 형제와 S 자매에게 넘치게 하여주십시오."

이것이 형제자매님들과 함께 기도를 요청하며 한 나의 첫 번째 기도였고 이어서 형제자매님들의 구름과도 같은 기도들이 잇달아 카톡 기도방에 올라오기 시작하였다.

이 글을 쓰며 그 모든 내용을 다시 읽어 보았는데 이 컴컴한 어두운 터널을 하나님께서 어떻게 교회 형제자매님들의 부축 가운데, 딸아이 부부로 통과하게 하셨는지를 깊이 되새기게 해 주셨고, 형제자매님들의 기도가 얼마나 은혜로우며 넘치는 공급이 있었는지 읽는 내내 감동이 밀려왔다. 기도 하나하나가 은쟁반에 담긴 금사과였다.

그날 이후의 중보기도 방의 카톡 내용만 출력해 보았을 때 7만 단어가 넘고 167페이지에 달하였는데, 그 내용이 너무 귀하여 어느 것 하나 빼기 어려워 보였지만, 이 모든 내용만으로도 책 한 권 분량이 될 것 같아 그 일부만을 있는 그대로 단순 철자만 수정하여 게재하여 본다. 이렇게 글을 쓰는 이유는 글의 마지막에 밝힐 것이다. 기도한 사람은 딸아이 S자매만 밝히고 다른 분들은 따로 밝히지 않았고 따옴표로 각 형제, 자매님들의 기도를 구분하여 기재하였다. 형제, 자매님들의 기도는 다음과 같이 이어져 갔다.

"주님, 이 어려운 때 주님의 은혜를 간절히 구합니다. 주님의 전능하신 치료의 광선으로 비춰주소서. H 형제가 이 고난의 때를 주님과 함께 가게 하소서. 하나님은 인생으로 고난을 받게 하는 것을 원치 않는다고 하셨으므로 깨달아 알게 하시고 주님의 넘치는 은혜로 통과케 하시고 S 자매가 이 일로 지치거나 낙망치 않도록 주님의 끊임없는 은혜의 공급이 넘치게 하소서. 아멘"

"주 예수님, 주 예수님, 당신을 앙망합니다. 이 모든 일 뒤에 당신께서 계심을 신뢰합니다. 주 예수님~ H, S에게서 얻고자 하시는 것을 얻으시도록 기도로 동역합니다. 주 예수님 ~~ 계시하소서"

"아멘!! 오 주 예수님 주님의 목적과 뜻 이루시기 위하여 환경을 안배하시는 주님! 주 예수님, 성령의 넘치는 공급으로 넉넉히 통과하게 하실 줄 믿습니다. 주님의 움직이심에 동역해 드림으로 시간을 앞당기게 하소서. H 형제로 인하여 하나님의 경륜이 더 확산되고 전진되게 하소서. 단체적인 몸의 생활의 실재가 표현되게 하소서~"

"아멘, 주 예수님, 우리의 모든 환경과 상황 안에서 역사하시고 안배하시는 주님! 주님 한 분만을 앙망합니다. 이번 환경을 통해서 H 형제가 주님만이 길이 되심을 믿고 나가게 하시고 주님을 극도로 누리고 체험하고 얻는 기회로 가져가게 하소서. 주님의 권익을 위해 누림을 방해하는 대적들을 처리하시고, 주님 한 분만을 바라보게 하소서. 주 예수님, 간호하며 돌보는 S 자매에게도 은혜로 함께하셔서 이 상황을 넉넉히 이길 수 있도록 필요를 채워주시고 공급하소서."

"아멘, 만물을 창조하시고 만물의 으뜸이신 주님! H 형제의 머리이시고 S 자매의 머리이시며 저희 모두의 머리이신 주님! 몸 안에 지체들의 간절한 기도를 들어주소서. 이번 환경을 통하여 H 형제를 자라게 하시고 S 자매를 견고케 하시며 주님의 몸을 더욱 건축케 하소서. 우리에게 시련을 주실지라도 능히 통과할 수 있는 시련으로 말미암아 우리 모두가 연단 받고 그리스도께 영광을 돌리게 하소서. H 형제와 S 자매를 더욱 축복하소서."

"오 주 예수님! 신성한 생명이시며 생명의 근원이신 아버지께 간구합니다. H 형제를 향하신 당신의 뜻을 계시하소서 치료자이시며 유일한 의사이신 주님, 당신이 자녀를 치료하실 수 있는 유일한 분이심을 믿습니다. 오 주 예수님, H 형제를 위험한 상황에서 속히 일으키소서. 병변이 분명하게 치료되게 하소서. 악한 자가 어떤 틈도 갖지 못하게 하소서! 의사에게 지혜를 주시며 치료의 손길이 되소서 S자매에게도 담대하게 하시며 은혜를 주소서. 당신을 사랑하는 이 가정을 지키소서 안전하게 보호하소서!"

5월 3일에는 발견된 외의 병변이 혹 몸의 어떤 곳의 암이 있어 뇌로 전이된 것은 아닌지 알기 위해 몸 상반신 CT 촬영을 하였으나 다른 곳에 암을 의심할 만한 병소는 발견되지 않았다. 담당 의료진은 뇌에 있는 덩어리가 어떤 것인지 알기 위해 조직 생검을 고려하고 있었는데 그 부위가 언어를 담당하는 중추와 가까이 있어 접근하기 쉽지 않은 곳이었다. 경험이 많은 국내 S 대학 병원의 뇌신경외과 권위자이신 J 교수님께 CT와 MRI 영상 결과를 보여드리고 이차 이견을 받은 결과 경험이 많은 J 교수님 조차 현재 정보만으로는 어떤 병변인지 모르겠다고 하시면서 혈관종일 수도 있으나 아닌 점도 있고 재출혈의 위험이 없다고 할 수 없어 생검보다는 진단 겸 수술로 개두술 하 절제하는 것을 추천받았고, 그 의견을 호주의 의료진에 전달하였으며 호주의 의료진도 같은 생각이라고 하여 생검보다는 수술하기로 하였다. 아직도 오리무중이었다. 다만 전에 잘 보이지 않았던 혹 덩어리 같은 것이 보인다는 것뿐이었다.

5월 7일 새벽에 다음과 같은 소식이 왔다. 밤새 사위가 말을 잘 못하고 있어 다시 출혈이 된 것 같다는 것이었다. 세 번째 출혈이 발생한 것이었다. 진단은 늦어지는데 증상은 악화하여가는 것 같아 마음이 어려웠다. 함께 기도하였다.

"오 주 예수님! 주님이 필요합니다. 주님으로 채우소서. 주님의 도움을 구합니다. 긴급한 필요를 채우소서.
H 형제의 근원이신 주님의 도움을 요청합니다. 주 예수님, 신실하신 주님을 앙망합니다. 생명을 얻되 더 풍성히 얻기를 원하시는 주님! 신성한 생명이 형제에게 넘치게 하소서.
~이다 이신 주님! H 형제의 주님이심을 선포합니다~"

"아멘 아멘, 주 예수님~~ H 형제에게 넘치는 긍휼을 허락하소서. 그의 안의 굳은 마음을 제하시고 하나님을 향하여 그의 존재가 활짝 열리게 하소서, 당신을 알 수 있도록 그의 안에 운행하소서. 빛 비추소서. 당신께 철저히 굴복되게 하소서."

"오 주 예수님, 이 시간, 주님을 공급하는 시간으로만 얻어 가소서. 아무것도 염려하지 말고 다만 주님께 아뢰라고 말씀 하신 주님을 믿습니다. 주님의 사랑으로 보양하시고 보살피 소서~"

"주 예수님, 주님을 앙망합니다. 다만 주님을 의지합니다. H 형제와 S 자매가 함께 주님께 나아가게 하소서. 사람의 계획 은 무의미하니, 하나님의 계획에 다만 동참하게 하소서. 기 도하게 하소서. 주님의 긍휼을 구하게 하소서. 이 가정을 얻 으소서."

"아멘 그렇습니다. 당신의 신실한 말씀을 붙잡습니다. 아무 것도 염려하지 않습니다. 다만 기도와 간구를 드립니다. H, S 가정을 온전히 얻으소서."

"아멘, 주 예수님, 다만 주님께 전적으로 의탁합니다. 주님의 사랑과 긍휼로 우리를 환경 가운데 두시고 주님의 뜻을 이루 어 가시는 신실하신 주님이심을 믿습니다. H 형제의 전 존재 를 얻으소서. 주님이 필요합니다. 주님을 넘치게 공급하시 고 필요를 채우셔서 이 상황에서 구원하십시오."

"아멘 우리를 철저히 구원하소서, H, S를 철저히 구원하소서. 영, 혼, 몸을 온전히 구원하소서. 의료진들에게 정확한 판단 으로 치료하게 하소서. 아멘, 의료진 안배를 의탁합니다. 주 님이 안배하소서~"

"아멘, 주 예수님, 당신께 의탁합니다. 이 모든 상황으로 인해 주님 앞에 엎드립니다. 주 예수님, 주 예수님, 주 예수님, 다만 당신을 주목하고 앙망합니다."

"아멘, 주님을 극도로 누리고 체험함으로 주님께서 주시는 평강과 안식 안에 있게 하소서. 치료하는 의료진들에게도 주님의 은혜와 사랑을 베푸셔서 지혜를 주시고 정확한 판단과 치료를 하게 하소서. 주님만을 앙망합니다."

"오 주 예수님~ 모든 은혜의 하나님 곧 그리스도 예수님 안에서 우리를 영원한 영광 안으로 부르신 하나님~ 지금의 잠시 받는 고난으로 당신께서 직접 H, S를 온전하게 하시고, 견고하게 하시고, 강하게 하시며 터를 튼튼하게 하고 계심에 감사합니다. 모든 과정에서 이 부부를 거룩하게 하사 변화되게 하소서. 생각이 새롭게 되게 하소서. 하나님 당신의 풍성, 지혜, 지식은 너무나 깊습니다. 당신의 판단을 어떻게 헤아릴 수 있으며, 당신의 길을 어떻게 찾을 수 있겠습니까?"

"오 주 예수님, H 형제를 새롭게 되게 하소서 주님을 의뢰하게 하소서. 모든 상태를 거절하고 주님의 역사 안으로 인도받게 하소서. H형제를 주님의 치료하심으로 치료받게 하소서 주님의 살아서 역사하심을 체험하게 하소서. 주님 치료하셔야 합니다. 이 부부를 지켜주셔야 합니다. 주님의 유익입니다. 의사들을 지혜롭게 하소서. 신속하게 움직이게 하소서. 치료의 방법이 되소서. 오 주 예수님 사람으로 근심케 하심이 목적이 아니라고 하셨습니다. 이 근심되는 과정을  H 형제와 S 자매가 견고하게 통과하도록 지키소서 은혜를 충분히 공급하소서."

"아멘, 주님이 우리의 의사이십니다. 주님의 권익을 위해 이 부부를 주님 안에서 새롭게 하시고, 변화되게 하시며 치료하소서."

"아멘, 주 예수님만 바라봅니다. 얻으십시오. H 형제가 아픕니다. 위험합니다. 긴급한 필요를 돌보아 주십시오. 주치의와 협력팀들이 정확한 진단과 치료의 방향을 잡을 수 있도록 역사해 주세요. 의료의 혜택을 받을 수 있도록 해주세요. 주님! 은혜받은 죄인인 H 형제를 기도로 주님께 가져갑니다. 당신의 아들로 그리스도의 몸의 지체로 건축자로 부르셨습니다. 감사합니다. 더 얻으십시오. 정결케 하소서. 씻어 주소서. 거룩케 하소서. 온전케 하소서."

S 자매:
"하나님은 우리의 피난처시요 힘이시며 곤경 가운데 즉시 받을 수 있는 도움이시라네. 그러하기에 우리는 두려워하지 않으리, 땅이 변하고 산들이 바다 한가운데로 빠진다 하여도, 바닷물이 노호하며 거품을 내뿜고 그 위력에 산들이 흔들린다 하여도. 셀라. 시편 46:1-3 "

"하나님은 우리의 피난처이시요 힘이십니다. 환난 중에 만나는 큰 도움이십니다."

딸아이는 이번 과정을 통과하며 아내와 형제자매님들의 도움으로 하나님의 말씀을 의지하며 기도하는 것을 붙들 수밖에 없었는데, 상황을 보면 마음이 언제라도 무너져 내릴 수밖에 없었기 때문이었다. 매 순간 하나님의 말씀을 의지하지 않으면 평강의 마음을 유지하기 힘들었다. 기도 후에 CT촬영 결과 다시 출혈이 발생한 것이 확인되어 다음 주에 수술하려고 하였는데, 더 일찍 할지 다음 주에 해야 할지 의료진이 고려 중이라는 이야기가 전달되었다. 출혈에도 불구하고 식사는 하는 모양이었다.

> S 자매: "조금 전에 식사 끝났는데 식사 많이 잘했어요! 곰국이랑 밥 반 그릇, 커스터드 크로와상, 키위, 바나나 먹었고요. 매시간마다 깨워서 검진해야 해서 잘 쉬지는 못했습니다. 말하는 건 어제보다 나은데 아직 언어 어렵고요 발음도 아직 부정확합니다. 어제 간호사 말로는 오른쪽 근육 힘이 좀 약하다고 합니다. (예정대로) 수요일 수술 예정이라고 합니다."

어떤 형제님이 다음과 같은 성경 구절을 올리셨고 우린 이 말씀에 격려받고 기도하였다.

> "다시 내가 진실로 여러분에게 말합니다. 여러분 가운데 두 사람이 땅에서 무엇을 구하든지 마음을 같이하면, 하늘에 계신 내 아버지께서 그들을 위하여 다 이루어 주실 것입니다. 왜냐하면 두세 사람이 내 이름 안으로 모인 곳에는 나도 그들 가운데 있기 때문입니다. 마태복음 18:19-20"

> "아멘, 분배를 통해서 주님의 갈망을 이루시고자 하시는 주님! H, S 이 젊은 부부에게 은혜로 강하게 임하셔서 분별 된 가정으로 더욱 온전케 하시고, 그리스도의 몸인 교회의 간증

이 되게 하십시오. 몸의 기도를 통해 역사하시는 주님, 이 부부를 주님 안에 품으시고 보호하소서"

"믿음의 주님, 온전케 하시는 주님, 기쁘신 뜻을 위해 운행하심으로 H 형제와 S 자매 그리고 지체들이 기도하게 하심을 감사합니다. 보이는 것들에 속지 않고 흔들리지 않도록 계속적으로 빛 비춤 안에 두십시오. 젊은 H 형제, S 자매의 혼을 붙잡아 주소서. 보살펴 주소서. 안식이 되소서. 영을 강화시켜 주십시오."

"아멘, '보이는 것들에 속지 않고 흔들리지 않도록 계속적으로 빛 비춤 안'에 있게 하소서. 주 예수님 주님을 주목하고 환경의 풍랑을 발로 밟고 걷게 하소서"

"아멘, 오 주 예수님, 지금도 H 형제를 사랑하시어 보살피시고 보양하시는 주님! 시간 안에서 주님의 계획과 목적을 이루어가시는 주님을 신뢰합니다. H 형제 안에서, 몸 안에서, 역사하고 계신 주님을 앙망합니다. 오 주 예수님, 속히 당신의 뜻을 이루소서. H 형제, 넉넉히 통과하게 하시어 H 형제 안에서 안식하소서. 오 주 예수님, 주님만 역사하소서. 주님의 운행하심에 방해하는 악한 자는 다 결박하시고, 오직 신성한 생명 분배를 통하여 주님께 영광드릴 것을 기대하며, 감사와 기쁨과 찬양이 환경을 삼키게 하소서. 주 예수님~ 감당할 시험만 허락하신다는 주님의 말씀을 신뢰합니다. 속히 뜻 이루소서. 시간을 앞당기시어 이 시대를 전환하는 빛나는 발광채가 되게 하소서."

5월 12일 예정대로 수술하였다. 수술 결과 전체 조직을 다 제거하진 못하고 조직검사 성격으로 일부 조직만 제거하였다는 이야기를 들었고 16일이 지나 조직검사 결과를 들을 수 있었는데 혈전과 죽은 뇌세포밖에 안 보였다고 하며 암세포나 종양세포는 보이지 않았다고 하는데 의료진은 두 가지 가능성이 있다고 말하였다. 아예 아무것도 아니거나 조직을 잘 떼어내지 못해서 혈전과 죽은 뇌세포밖에 떼어내지 못하였거나, 그래서 MRI를 나중에 또 찍어보고 병변이 작아지면 정말 아무것도 아닌 거고, 작아지지 않았으면 뭔가 있는 것이라고 말하였다고 하였다. 증세는 더 악화되지 않고 스테로이드를 포함한 보조적인 약을 처방받고, 약간 호전되는 듯하여 퇴원하여 집에서 안정하도록 조치가 취하여 졌다.

6월 8일, S자매: "사랑하는 형제, 자매님들 H 형제 언어능력이 회복되고 있음에 감사합니다! 형제의 지금 상황은 1. 무릎 관절이 아파 앉고 일어서기가 힘듭니다. 2. 손의 저림, 떨림이 있습니다. 3. 언어능력이 회복이 되고 있지만 아직 어려움이 조금 있고 단기 기억력, 인지능력의 어려움이 아직 있습니다. 4. 아직 뇌와 모든 기능들이 회복해야 하는데 밤에 잠을 깨고 다시 잠들기 힘들어 하루에 4시간~5시간 정도밖에 잠을 못 잡니다. 5. 형제가 아직 아무런 치료를 받지 못했기 때문에 뇌출혈의 위험이 아직 있습니다. 6. 7월에 신경외과 외래가 있습니다. 7. MRI는 7월 외래 전에 찍을지 11월에 찍을지 아직 정해지지 않았습니다.

형제, 자매님들, H 형제님과 제가 요즘 신약 한 장씩 읽고 함께 기도하고 있습니다! 형제님 안에서 운행하시는 그리스도로 인하여 감사합니다! -중략- 형제, 자매님들의 기도 덕분에 H 형제님이 회복하고 있고 또한 말씀에 열려있게 됨을 너무 감사드립니다."

어떤 형제님께서 당시 교회 안에 주의 회복의 사역의 말씀으로 공급된 내용을 보내 주었다.

"형제님들, 여러분은 우리가 아시아에서 당한 환난을 몰라서는 안 됩니다. 우리가 힘에 겹도록 극심한 압박을 받아 살 소망까지 끊어져, 결국은 죽게 될 것이라고 스스로 단정하였습니다. 이것은 우리가 자신을 신뢰하지 않고 죽은 사람들을 살리시는 하나님을 신뢰하도록 하려는 것이었습니다. 고린도후서 1:8-9 성령의 징계의 목표는 우리를 파쇄된 사람이 되게 하는 것이다. 하나님께서 우리 안에서 길을 얻으실 수 있기 위해서는 먼저 우리를 아무것도 할 수 없고 아무런 도움도 받을 수 없는 곳에 두셔야 한다. ...우리 환경에 있는 모든 것은 우리의 하나님께서 우리에게 재어 주신 것이다. 하나님은 우리 주위의 모든 것을 배열하시는데, 그 유일한 목적은 우리의 두드러지고 무디고 단단한 부분들을 파쇄하는 것이다."

6월 13일, S 자매: 사랑하는 형제, 자매님들, H형제가 장기간 복용한 스테로이드 때문인지 얼굴과 배가 붓고 잠을 잘 못 자고 손이 떨리고 무릎이 아픈데 내일부터 스테로이드 복용을 중단합니다. 장기간 스테로이드를 복용하고 중단할 때 리

바운드 효과로 머리아픔, 몸의 통증, 구토 등이 있을 수 있다고 합니다. 전 계속 풀타임으로 일을 해서 형제와 같이 있을 수 없습니다. 형제가 스테로이드로 인한 부작용에서 깨끗하게 회복하고 또한 스테로이드를 중단할 때 생기는 부작용이 없도록 기도 부탁드립니다. 오늘 그리고 형제가 아프고 난 후 처음으로 주일 집회 참석했습니다! 형제자매님들과 함께 형제가 하나님의 간증이 되도록, 형제를 볼 때에 지체들이 생명 주시는 영, 죽은 자들도 일으키시는 분을 보고 영광을 돌리도록 기도를 했는데 그렇게 되었습니다!! 지체분들이 형제를 보기만 해도 간증이 있었다고 했습니다! 우리의 기도를 들으시는 주님 감사합니다! 형제자매님들과 함께 기도로 동역하게 하심을 감사드립니다! 함께 동역해주심을 너무 감사드립니다, 형제자매님들"

6월 16일, S 자매: "형제자매님들, H 형제 이번 주 금요일에 MRI 찍기로 하였고 다음 주 월요일에 신경외과 외래 진료하기로 했습니다. MRI 스캔으로 형제 병변이 줄어들었나 안 줄어들었나 확인하려는 것 같습니다. 형제가 월요일부터 감기기운인지 머리를 아파하고 언어능력이 평소보다 조금 떨어졌는데 머리가 아파서 그런 건지 잘 모르겠습니다. 형제의 금요일에 있는 MRI 스캔과 월요일에 있는 외래진료 또한 형제의 뇌를 위해 기도 부탁드립니다. 오 주님! 말씀으로 죽은 자를 일으키시고 없는 것에서 있는 것을 일으키시는 우리 하나님! 형제의 병변이 자연스럽게 속히 없어지게 하소서! 정상적이지 않은 것을 주님께서 온전히 제거하소서!"

"주 예수님, 나의 도움이 어디서 오리오? 하늘과 땅을 만드신 분에게서 온다네~! 졸지도 주무시지도 아니하시는 분. 우리를 지켜주시는 분. 낮의 해도 밤의 달도 우리를 해치 못하고, 모든 악에서 지키시며, 우리 혼을 지켜주시는 분. 우리의 들고 나감을 지금부터 영원까지 지켜 주시는 분. 당신을 신뢰합니다. 당신께 H 형제를 맡겨 드립니다. 주 예수님!"

6월 17일부터 원인 모를 발열과 두통이 있어 18일 뇌 MRI 촬영을 하도록 안배되었다. 딸아이가 교회 안에 공급되는 메시지를 인용하며 다음과 같이 올렸다.

6월 18일 S 자매: "응급실에 와서 다행히 진짜 빨리 응급실의 병실에 들어왔습니다. 그리고 MRI도 예정대로 찍을 것 같습니다. 길이신 주님을 찬양합니다! 형제를 진단하는 모든 의료진들의 지혜와 지식과 명철과 꼼꼼함과 섬세함과 철저함 되소서! 히브리서 3:8. ....오늘 너희가 그분의 음성을 듣거든, 그분을 노엽게 했던 것처럼 너희 마음을 굳어지게 하지 마라.. 10... 그들이 항상 마음이 지나가서 나의 길을 알지 못하였다. 14 우리가 처음에 가진 확신을 끝까지 붙잡는다면, 우리는 그리스도의 동반자들이 될 것입니다. 헬라어 단어로 쓰인 이 구절에서 동반자의 의미가 하늘에 속한 부름과 성령과 징계에 동참한다는 의미이다. 우리는 하늘에 속한 거룩하고 영적인 것들을 함께 받는 사람으로서, 하늘에 속한 부름과 성령과 영적인 징계에 동참한다. 지체들이 머리이신 그리스도의 함께 그 영에 동참하듯이, 우리는 그리스도의 동반자들로서 그리스도의 함께 영적인 기름부음에 동참하고, 갈렙이 여호수아와 함께 좋은 땅의 안식을 누린 것 같이 그분과 함께 하늘에 속한 안식을 누린다. 주님 우리가 당신을 믿고 처음에 가진 확신을 끝까지 굳게 붙잡기 원합니다. 우리의 마음이 굳어지지 않게 하소서. 안식을 누리기 원합니다. 사랑하는 형제자매님들 H 형제가 병원에 다시 입원해야 한다고 합니다."

6월 18일 당일 오후에 뇌 MRI 찍었는데 병변이 2배는 더 커져 종양 같다고 하며 병변 크기는 작은 살구 정도이고 뇌의 다른 부분을 누르고 있어 다시 수술해야 한다고 연락이 왔다. 이렇게 빨리 자란다면 악성종양일 가능성이 크다는 생각이 들 수밖에 없었다.

6월 21일: S 자매: "아직 수술 날짜는 받지 못했지만 수술 전 뇌신경들이 어디로 지나가는지 보는 MRI를 오늘 찍을 것 같다고 형제에게 연락 왔습니다. 주님 H 형제에게 주님이 보시기에 가장 적합한 최상의 의료진을 꾸려서 안배하시고 MRI를 찍을 때 아무것도 놓치는 것이 없도록 방사선과 의사들과 모든 의료진의 꼼꼼함, 섬세함, 철저함, 지혜, 지식, 명철이 되소서. 형제의 수술 전에 검사들에서 신경들이 지나가는 곳들을 명확하게 보여주사 수술할 때 신경들과 혈관들을 건드리지 않게 하소서. 주님 H형제의 수술 날짜를 주님께서 보시기에 가장 적합한 날짜로 예비하시고 악한 자가 틈타지 않게 지켜주소서! 형제 MRI가 내일로 잡혔다고 합니다. 주님 당신이 계획하신 것에 아무런 차질 없게 하소서! 당신께서 이 모든 과정 가운데에 거침없이 흐르소서!"

6월 22일 MRI 촬영 후 의료진이 가족들을 불러 설명을 해주었다고 하였다. 병변이 크고, 중요한 동맥 2개가 가깝게 지나가는데 그중 하나를 종양이 감싼 것처럼 보이고 그 동맥은 언어능력과 관련된 동맥이라고 하였다. 동맥이 가까우므로 수술 중 혹은 수술 후 뇌졸중이 올 수 있다고 하였고, 병변이 언어능력과 운동능력과 가까이 있어서 수술 후에 언어와 오른팔에 영향이 있을 것인데 얼마큼 영향이 있을지는 모른다고 하였다. 지난번 수술했던 곳이 해부학적으로 열리기 쉬운 곳이라 괜찮았는데 저번에 수술한 것 때문에 섬유화되어 그쪽을 열지 못하면 인위적으로 뇌를 째서 열어서 해야 하는데 그렇게 되면 뇌손상이 초래될 것이므로, 지난번에 열었던 그대로 열 수 있는 것이 최상이라고 설명하였다고 하였다.

병변을 최대한 제거하려고 하겠지만 그게 불가능하다면 항암치료나 방사선 치료를 받아야 한다고 하였고 병변을 제거하는데 병변이 말랑말랑해서 빨아들일 수 있으면 제일 좋고 만약에 딱딱하거나 그러면 뗄 때 혈관들도 같이 찢어지거나 할 수 있고 그렇게 되면 뇌졸중이 온다고 하였다. 수술은 6월 23일 아침 7시 반에 시작할 예정이라고 하였다. 수술 당일은 사위 수술만 잡혀서 천천히 안전하게 할 것이라고 의료진이 말하였다고 한다. 딸아이는 의료진의 이야기를 카톡으로 담담히 전해 주었지만 그 내용은 답답하기 그지없고 염려가 앞서기에 충분할 내용이었다. 수술은 Dr Y와 Dr J가 주된 수술 의사라고 하였다. 하지만 우리는 이 모든 문제를 다시 한번 주님의 손안에 두었다.

S 자매: "아멘 주님만을 앙망합니다. 주님 H 형제와 저를 온전히 얻으소서. 형제를 창세 전에 아시고 선택하시고 부르셨습니다. 주님의 자녀입니다. 아바 아버지, 당신의 아들 H 형제를 주님께 온전히 맡깁니다!

주님, 내일 집도하는 집도의, Y와 J, 그리고 모든 의료진을 주님께서 기름 부으소서. 당신이 그들을 통하여 집도하소서. 주님 H 형제의 병변이 말랑말랑해져서 깨끗하게, 쉽게 제거되게 하소서. 오직 만져져야 할 것만 만지고 제거되어야 할 것만 제거되게 하소서. 형제의 모든 크고 작은 뇌혈관들과 뇌세포들, 모든 뇌신경들, 뇌조직들을 건들지 않고 온전히 보호하소서! 그들이 최대한 많은 병변을 아주 안전하게, 정상적인 것은 아무것도 손상시키지 않고 아주 예리하고 정확하게 병변을 제거하소서! 형제의 언어능력과 운동능력과 인지능력이 조금도 문제 되지 않도록 하시고 온전히 회복되게 하소서!"

이 무렵 나는 한 꿈을 꾸게 되었다. 육십 평생을 살아오며 수많은 꿈을 꾸어 왔지만, 의미 있는 꿈은 다섯 손가락 안에 꼽을 정도였고, 대부분 의미 없는 소위 '개꿈'들 뿐이었는데, 이번에 꾼 꿈은 지금까지도 생생하고 의미 있었던 꿈 중 하나에 속한 꿈이 되었다. 꿈속에 맑은 물속에 둥글둥글한 돌들이 바닥에 깔려 있었는데, 그 틈 어딘가에서 피가 흘러나와 물속에 번지고 있었다. 꿈속에 지혈해야 하는데 하면서 애가 타고 있었는데 금속 클립 같은 것이 보이면서 이내 출혈이 잦아들게 되면서 꿈에서 깼다. 꿈에서 깬 후, 맑은 물은 뇌척수액이었고 둥글둥글한 돌들은 뇌 피질의 주름 잡힌 것들이고 피가 흘러나오는 것이 사위의 병변이며, 금속 클립 같은 것이 보이면서 피가 멈춘 것은 이번 수술을 통해 출혈하는 병변이 치료된 것이라는 작은 느낌이 들었다.

6월 23일 수술 당일 새벽
S 자매: "중보기도 방향: 오늘 기도하실 때 다음 사항을 함께 기도하여 주십시오. H 형제에게 악한 자의 역사, 사망, 질병을 묶는 기도, Dr Y와 Dr J를 주축으로 한 이 땅의 의료진을 통해 하나님께서 후유증 없이 병변이 완전히 제거하시도록 기도를 요청드립니다."

이렇게 딸아이가 중보 기도를 요청하였다. 당일 카톡방은 다시 기도로 가득 채워졌다.

"사랑하는 주 예수님, 오늘도 여전히 주님을 사랑합니다. 모든 것을 허무는 주님의 보혈을 의지하며 이 아침 주님을 앙망합니다. 주여 사랑하는 H 형제님, 오늘 수술하는 시간과 상황과 사람, 그 어떤 상황도 다 주님 안에서 지켜주시어 악한 자의 입지가 전혀 없게 하여 주십시오. 수술하는 의료진의 손길과 판단에도 주님이 축복하시어 가장 좋은 치료를 받게 하여 주십시오. H 형제님의 몸, 혼, 영 각 부분이 온전하고 깨끗하고 흠이 없도록 지켜주실 줄을 압니다. 주님께 감사함으로 기도드립니다."

"주님, H 형제의 수술시간이 다가왔습니다. 악한 자의 송사를 묶으시고 Dr Y와 Dr J 및 의료진이 주님의 임재 안에서 안정적으로 수술에 임하게 하소서. S 자매를 포함한 당신의 몸 안의 지체들 기도를 들으소서. 주님을 의지합니다.”

“아멘, 주 예수님. 당신의 보혈을 의지하여 주님 앞에 나아갑니다. 우리를 정결케 하여 주소서! 이 시간 H 형제의 수술을 온전히 주님께 맡겨 드립니다. 악한 자를 결박하시고, 주님 당신이 주치의가 되어 주소서. Dr Y와 Dr J를 주축으로 한 의료진을 통해 후유증 없이 병변이 완전히 제거되기를 원합니다. 다만 주님 당신을 앙망하며 신뢰합니다. S 자매가 더욱 주님의 은혜 안에 거함으로 당신을 누리게 하소서. 실패하지 않으시는 하나님, 당신을 신뢰합니다. 오~주 예수님!”

“아멘, 아멘, 우리로 아들의 형상을 본받게 하시려고 창세 전에 우리를 선택하신 당신의 갈망을 이루소서.”

“주 예수님, 주님의 보혈을 의지합니다. 오 주 예수님, H 형제의 수술을 주님께 가져갑니다. 수술의 과정을 주님께서 개입하시고 병변이 제거되도록 주님께서 함께하여 주시고, 아무런 후유증이 없도록 주님께서 H 형제를 지켜 주십시오 악한 자를 묶으시고 오직 주님만을 앙망합니다.”

S 자매: (호주시간 오전 7:39) “지금 수술실 들어갔습니다.”

“아멘, 창세 전에 당신의 뜻과 목적과 갈망을 위해 우리를 선택하시고 구속하시고, 시간 안에서 구원해가고 계심을 감사합니다. H 형제와 S 자매 가정은 당신의 몸의 건축과 유익을 위해 예비된 가정입니다. 악한 자는 여지가 없습니다. 상황과 문제와 사람을 바라보지 않습니다. 생명 주시는 분, 한 분 예수 그리스도 당신을 주목합니다. 수술의 모든 과정 가운데 함께 하소서. 당신이 역사하셔야 하겠습니다. 당신의 승리를 다만 우리의 승리로 취하기를 원합니다. 오~주 예수님! S 자매 마음을 지켜주시고 당신이 위로와 격려가 되소서!"

"아멘, 그렇습니다. 주님의 뜻과 목적을 위하여 H 형제님이 필요합니다. 주님이 치료하셔야 합니다. 주님께서 의료진의 손에 기름 부으시고 주님께서 수술을 집도하여 주십시오"

"아멘, 당신의 유익과 몸의 건축을 위하여 H 형제를 온전히 치유하셔야 합니다. 지금 이 시각 의료진의 손길에 기름 부으시고 주님이 수술을 집도하여 주소서~ 모든 방해하는 것들을 결박하소서~!^^"

"아멘, 생명의 왕이시여. 경배합니다. 사망을 삼키고 정복하고 승리하신 부활 생명과 부활 능력의 주님. 우리로 당신을 더 알도록 십자가의 죽음을 본받게 하시는 주님, 우리 자신을 열어 드립니다. 다만 당신을 찬양합니다. 우리로 기도하게 하시는 주님, 역사하십시오. 기도로서 악한 자를 묶어서 던집니다. H 형제를 질병과 소극적인 것들로부터 구원하소서. 해방해 주소서. H 형제님은 하나님의 사람임을 선포합니다."

"주 예수님, 지체들의 간절한 기도를 따라 몸의 기도를 들으소서. H 형제, 모든 종양을 제거할 수 있도록 의사들에게도 주님의 지혜를 허락하소서. 모든 병변이 깨끗이 치료될 수 있도록 주님이 주관하소서."

"오~주 예수님, 지켜주소서. 돌보소서. 만져 주소서. Dr Y와 Dr J와 수술팀을 주관하소서. 제하여야 할 것은 제해지고, 온전히 회복되게 하소서."

"아멘~ 몸의 기도를 들어주소서 화답하소서. Dr Y와 Dr J와 수술팀에 주님이 개입하셔서 H 형제가 후유증 없이 깨끗하게 치료될 수 있도록 이 시간 역사하소서. 다만 당신을 붙잡고 또 붙잡습니다!"

S 자매: 아멘! 주님 지금 이 시간 수술 가운데에 임하시고 계심을 신뢰합니다. 온전히 믿습니다. Dr Y와 Dr J와 수술팀에 주님이 개입하소서! H 형제의 몸과 뇌는 주님의 것입니다. 주님 당신께서 건드릴 것만 건드리게 하시고 보존해야 할 것은 보존하소서. 형제의 뇌의 병변이 아무런 후유증이나 부작용 없이 정확하고 예리하고 깨끗하게 제거되고 형제가 온전히 깨끗하게 치료되게 하소서! 악한 자의 궤계를 묶으시고 부활 생명 누리게 하소서!"

"아멘. 주님, 몸의 간구를 들으시고 이루어 주소서. 주님께서 Dr Y와 Dr J와 의료진의 손길이 되시고 깨끗하게 제거될 것들이 제거되게 하십시오. 후유증 없이 온전히 몸의 기능이 살아나며 회복되어 주님을 섬기고 몸을 건축하도록 남은 과정 가운데에도 생명으로 더 분배되소서. 매 순간 악한 자가 틈타지 못하도록 눈동자와 같이 지키시고 보호하시며 분별

하소서."

"아멘, 임하십시오. H 형제 안에 임하십시오. 주님의 능력으로 치료하시고 보존하여 주십시오."

S 자매: "아멘 그렇습니다. 매 순간 악한 자가 틈타지 못하도록 눈동자와 같이 지키시고 보호하시고 분별하소서! 주님 후유증 없이 온전히 몸의 기능이 살아나게 하시고 후유증 없이 형제의 병변이 날카롭고 예리하게 온전히 제거되게 하소서. 주님께서는 말 한마디로 죽은 자도 일으키시고, 없는 것에서 있는 것을 일으키시는 분이십니다. 형제를 온전히 깨끗하게 치료하시고 일으키셔서, 나사로와 같이 주님의 간증이 되게 하소서. '마태복음 18장 19절 다시 내가 진실로 여러분에게 말합니다. 여러분 가운데 두 사람이 땅에서 무엇을 구하든지 마음을 같이하면, 하늘에 계신 내 아버지께서 그들을 위하여 다 이루어 주실 것입니다.' 주님 정말 많은 지체가 한마음 한뜻으로 H 형제의 수술이 잘 끝나기를, 형제가 아무런 후유증이나 부작용 없이 모든 병변이 예리하게 제거되어 형제의 언어, 운동, 인지능력이 온전히 보존되며 최상의 치료를 받기를 기도하고 있습니다. 주님 당신께서 우리를 위해 이루어 주소서!"

기도는 오후까지 계속 이어졌으며, 수술 시 너무나도 출혈이 심하여 담당 의사는 수술 중에 환자를 잃어버리는 줄로만 알았다고 하였다. 수술 중에 중요한 동맥을 과다한 출혈로 인하여 묶어야만 했는데 심한 출혈로 인하여 어디로 가는 혈관인지 정확히

파악하기 힘들었다고 하였다. 뇌의 중요 부위로 가는 혈관이었다면 해당 부위의 뇌 조직이 사멸될 것이므로 수술 후 해당 부위에 뇌졸중과 같은 기능 이상의 후유증이 발생할 수 있다고 말하였다고 전해왔다.

S 자매(호주시간으로 3:09): "형제 수술 끝났습니다. 1. 수술이 많이 어려워서 피를 많이 흘렸습니다. 24~48시간 안에 뇌졸중이 올 확률이 있다고 합니다. 형제는 지금 의식이 없습니다. 2. 집중치료실 (ICU)에 며칠간 있어야 한다고 합니다. 3. 많은 부분의 종양을 떼어냈습니다. 그 과정에서 중요한 동맥의 한 가닥을 건드린 것 같다고 합니다. 뇌의 어떤 부분을 담당하는 동맥인지 얼마나 건드렸는지 모릅니다. 4. 형제의 종양 주변에 비정상적인 혈관들이 많았다고 합니다. 현미경으로 봤을 때 양성종양은 아닌 것 같다고 합니다. 암일 것 같다고 합니다. 조직검사 결과 돌아오는데 5일 정도 걸린다고 합니다."

"오 주 예수님, 우리는 참된 의사이신 주님만을 앙망하며 신뢰합니다. H 형제에 수술 후 올 수 있다고 말하는 모든 증상에서 구원하시고 해방해 주소서! 오직 우리의 신뢰를 주님께 둡니다!"

"아멘 아멘, 그리하소서. 사람의 이해와 상상을 초월하시는 하나님~ 이러한 일이 하나도 H 형제에게 일어나지 않게 하소서."

"예수님, 이 모든 과정에 여전히 주님을 앙망하게 하여 주십시오. 주님의 은혜와 긍휼히 H 형제와 S 자매에게 그리고 모든 지체에게 넘치도록 있게 하소서. 다만 주님만을 앙망할 수밖에 없습니다. 오 주 예수님, 오 주 예수님, 돌아보시고 회복의 과정 중에도 주님의 생명의 영의 역사를 강화하여 주십시오."

"주 예수님, 오 주 예수님, 끝까지 H 형제님을 돌봐주시고 살펴주시고 치료하여 주십시오. 집중 치료 기간 온몸의 혈관들이 회복되게 하시고, 독수리 날개 치듯 일어서게 해 주십시오. 오 주님 다만 주님께 엎드려 구합니다. 주님 치료하여 주십시오. 형제님의 육신의 몸도 온전하고 건강하게 보존시켜 주십시오."

S자매: "주님 H형제를 살려주세요."

"주님 살려주십시오. 주님 우린 할 수 있는 게 아무것도 없습니다. 주님께만 매달립니다. 오 주여, 남은 일생을 주님을 향하여 살 수 있는 기회를 주십시오. 주 예수님, 주님 아버지께 구합니다."

"아멘, 주님께서 정상적으로 작동해야 할 뇌의 부분에 혈관들이 정상적으로 공급되게 하여 주십시오. 수술 과정에서 손상을 입은 정상 조직들이 신속히 회복되게 하소서. 질병이 제거되어 다시 재발하지 않도록 지켜주십시오. 오 주 예수님, 오 주 예수님"

"아멘, 죽은 자도 살리시는 주님! 영원한 분깃이신 당신을 누리며 갈 수 있도록 기회를 주십시오. 당신이 하셔야 합니다. 당신밖에 없습니다. H 형제의 기능을 하나도 빠짐없이 회복하여주소서 지켜주소서."

"주님, H 형제를 회복시켜주세요. H 형제를 불쌍히 여기소서. 정상적인 몸의 기능을 가지고 다만 주님을 섬기게 하소서. H 형제를 얻으소서. 주님, 당신의 경륜을 위하여 몸의 간증을 얻으소서."

"아멘, 간증을 얻으소서. 당신의 경륜을 위하여, 몸을 위하여, 교회를 위하여, 당신의 권익을 위하여
당신의 유익을 위하여 H형제 간증을 얻으소서."

"주 예수님, 당신이 역사하셔야 합니다. 죽은 자에게도 생명을 주시는 하나님, H 형제를 회복시켜 주십시오. 당신의 몸의 유익을 위하여 간증을 얻으십시오! 주 예수님, 당신만을 붙잡습니다. 정상적으로 작동해야 할 뇌의 부분에 혈관들이 온전하게 공급되게 하여 주십시오! 수술 과정에서 손상을 입은 정상 조직들이 온전히 회복되게 하십시오. 오 주 예수님, 오 주 예수님"

"아멘, 주 예수님. 정상적인 몸의 기능을 가지고 하나님을 섬기게 하소서. H 형제를 당신의 산 간증으로 세우소서"

"아멘, 주 예수님 주님 당신의 자녀를 돌보시고 회복시켜주소서. 환부에 안수하시고 생명으로 공급하십시오. 혈관 조

직 세포 모든 부분 주님께서 섬세하게 만지시고 정상화시켜 주소서. 몸의 모든 부분이 정상적으로 기능을 발휘하여 당신의 산 간증이 되게 하십시오.”

“오 주 예수님, H 형제를 살려주십시오. 질병을 치료하시는 주권이 주님께만 있습니다. H 형제가 살아나서 생명이신 주님을 간증하게 하십시오.”

S자매(호주시간 오후 6:26): “오빠 잠깐 깨어나서 제 손 꼭 잡고 아까 오빠 사촌 왔다가 가는데 오빠가 손으로 인사하더라고요. 근데 간호사가 오빠가 지금은 깨어나면 안 된다고 하더라고요. 의사들이 오빠가 깨어나면 종양에서 피가 흘러서 뇌졸중이 올 수 있다고 며칠간 계속 재우고 서서히 깨운다고 하더라고요.”

“주님, S 자매와 H 형제님 몸 혼 영 모든 부분을 지켜주십시오. 우리가 그늘진 골짜기를 다닐지라도 해를 두려워하지 않는 것은 주님의 지팡이와 막대기가 있기 때문입니다. 두려워하지 않게 해주시고, 믿음을 붙들어 주님만 바라보게 하여 주십시오. 주님을 붙잡사오니, H 형제님의 잠든 순간에도 치료의 손길로 찾아가 주십시오. 주님께 구합니다.”

6월 24일 수술 다음 날, 신경 의사가 자기들이 생각했던 것보다 H 형제가 지금까지 잘 견디고 있다고 하였다.

S자매: “오늘 아침에 ICU(중환자실)에 전화했는데 형제 계속 재우고 있다고 합니다. 상태가 안정적이라고 합니다. 이

렇게 적어도 24~48시간은 있어야 한다고 합니다. 주님, 당신께서 모든 사망의 요소와 그림자조차 삼키시고 부활 생명으로 새롭게 일어서게 하소서. 주님, 당신이 생명이십니다. H 형제에게 생명으로 나타나소서."

6월 25일 금요일, S자매: "사랑하는 형제, 자매님들 오늘 아침에 중환자실에 전화했는데. 형제 밤 잘 보냈다고 합니다. 오늘 아침에 의사들 얘기 들어보고 기관지에 있는 호흡 튜브 뺄 것 같다고 합니다. 주님 오늘도 당신이 H 형제님 안에서, 입원 중인 병원에서 승리하소서! 오직 당신만이 H 형제님 안에서 운행하소서! 당신의 너무나도 사랑하는 H 형제님에게 가장 좋은 치료를 하나님이 예비하셨음을 우리는 신뢰합니다! 우리의 원하심을 누구보다 잘 아시는 하나님, H 형제님을 온전하고 깨끗하게 치료하시고 뇌의 병변을 가장 안전하고 깨끗하게 제거하시고 재발하지 않게 하소서. 우리 사랑하는 H 형제님을 살려주셔서 주님께서 형제님에게 예비하신 길을 끝까지 달리게 하소서. 형제님이 지체들과 건축되게 하시고 당신을 표현할 기회를 허락하소서. 우리는 사망과 그 그림자를 미워합니다! 당신께서 형제님 안에 있는 사망의 그림자까지도 집어삼키소서!"

그 이후도 수많은 우여곡절이 회복되는 기간 지속되었다. 수술 경과를 보기 위하여 MRI를 찍어야 하나 구토로 인해 촬영하지 못해 우린 다 같이 이에 대해 중보기도하였고, 산소 공급을 하면서 아직 걷거나 앉아있지 못하고 구토가 계속되고 있다고 하여 함께 기도하였다. 그러나 점차 수술 후 회복되어가며 6월 27일에는 점심부터 부드러운 음식과 음료를 마실 수 있어 식사를 시작하였다.

어떤 형제님께서 교회 안에 공급되고 있는 사역의 메시지를 올려 주어 모두 공급을 얻으며 기도하였다.

" 그분은 육체와 연관된 계명의 율법에 따라 제사장으로 세워지신 것이 아니라, 파괴할 수 없는 생명의 능력에 따라 세워지셨습니다. [25] 그러므로 그분은 자신을 통하여 하나님께 나아오는 사람들을 철저히 구원하실 수 있으십니다. 왜냐하면 그분은 항상 살아 계셔서 그들을 위하여 중보기도를 하시기 때문입니다." 히브리서 7:16, 25  여기서 파괴할 수 없는 데 해당하는 헬라어는 ἀκατάλυτος (아카탈루토스)로서 그 어떤 것도 소멸시킬 수 없고 파괴할 수 없는 이란 의미로써 이러한 파괴할 수 없는 생명의 능력 있는 요소에 따라 대제사장으로 세워지셨다. 이 생명은 무궁한 생명으로서 영원하고, 신성하고, 창조되지 않은 생명이며, 죽음과 음부의 시험을 통과한 부활 생명이다. 오늘날 우리의 대제사장이신 그리스도의 사역은 바로 이러한 생명으로 말미암은 것이다. 그러므로 그분은 우리를 철저히 구원하실 수 있으시다."

6월 28일에는 코로나 확진자가 퀸즐랜드주에서 몇 명 나와서 2주 동안 병원도 락 다운한다고 하였다. 사위가 혼자서 2주간 병원에서 지내야 했다. 조직검사 결과 나오는 것도 보호자 없이 사위 혼자 들어야 할 상황이었다.

6월 30일 수요일에 딸아이가 역대하 20장에 시리아 침공을 앞둔 여호사밧 왕에 대해 언급한 성경을 인용하며 다음과 같은 글을 올렸다.

> S자매: "'그(야하시엘)가 말하였다. "유다의 모든 분들과 예루살렘 주민 여러분과 여호사밧 왕은 들으십시오. 여호와께서 여러분에게 이렇게 말씀하십니다. '이 큰 무리 때문에 두려워하지 말고 겁내지도 마라. 싸움은 너희에게 달린 것이 아니라 하나님에게 달린 것이다. [17] 너희는 이 전투에서 싸울 것이 없다. 다만 자리를 지켜라. 유다와 예루살렘아! 서서 너희 가운데 이루어질 여호와의 구원을 보아라. 두려워하지 말고 겁내지도 마라. 여호와가 너희와 함께하리니, 내일 나가서 그들과 맞서라. [22] 사람들이 큰 소리로 노래하며 찬양하기 시작하자, 여호와께서 복병을 두시어 유다를 치러 나오는 암몬 자손과 모압 자손과 세일산 주민을 치게 하시니, 그들이 패배하였다.'역대하 20:15, 17, 22  두려워하지도 말고 겁내지도 않게 하소서. 이 싸움은 당신이 하시는 것입니다. 우리 가운데에서 이루어질 하나님의 구원을 봅니다! 주님께서 우리와 함께하십니다!"

6월 31일 의료진과 가족과 면담이 잡혔고 조직검사 결과 암이라고 하며 뇌에 생기는 암이 아니라 원래 다른데 생기는 것이어서 전이되었는지 검사해야 한다고 하였고 특수 염색으로 더 정밀한 병리조직 검사가 필요하다는 이야기를 들었다. 이제부터는 종양학과 의사들이 와서 어떤 방사선 치료나 어떤 항암치료를 해야 할지 결정하여야 한다는 이야기를 들었다. 우리는 모두 이러한 상황을 놓고 주님을 앙망할 수밖에 없었다. 몸의 다른 곳에 생긴 암이 전이된 것인지 알기 위한 전신 PET 검사를 진행하였으나 몸의 다른 곳에 의심될 만한 병소는 없었다.

7월 3일 토요일에 정밀 조직검사 결과가 추가적으로 나왔는데 활막육종이라는 매우 드문 뇌암으로 판정되었다. 거의 대부분 몸의 다른 부위에서 전이되는 경우이지만 사위의 경우 전이될 만한 암의 병변은 찾지 못하였다. 활막은 관절낭을 구성하는 조직으로 뇌 안에는 관절낭이란 것이 존재하지 않음으로 원발성 뇌암으로는 매우 희귀한 암이었다. 방사선 치료 30회와 항암약물치료 병행이 계획되었다. 체력을 소진하며 부작용에 따른 신체 기능의 저하가 예상되었다.

우리 가족은 다음과 같이 중보기도를 요청드렸다.

"현재 저희 가족은 이러한 환경이 주님께서부터 온 것이며, H 형제 부부에게 새로운 전환을 가져다주실 것이란 느낌을 갖고 있습니다. 외적이고 객관적 상황은 어려운 상황이지만, 주님은 사망을 미워하시며 우리로 사망을 이길 것을 요구하고 계신다고 느낍니다. 이 질병은 우리의 발아래 있고 주님은 그분의 파괴되지 않는, 소멸될 수 없는 생명을 따라 주님께 의지하는 H 형제와 우리를 철저히 구원하시는데 부족함이 전혀 없으실 것이라고 느낍니다. 이 시점에서 형제자매님들께 중보기도를 부탁드리고 싶은 것은 H 형제와 그 부부 그리고 그들을 둘러싼 지체에게 악한 자가 역사하지 못하도록, 그리고 시험에 들지 않도록 기도해 주실 것을 요청드립니다. H 형제 부부가 진리의 말씀으로 훈육 받으며 믿음 안에 성장할 수 있도록 지체들과 함께 추구할 수 있도록 중보기도를 부탁드립니다."

형제자매님들의 기도는 끊임없이 이어져 딸아이와 사위를 둘러쌌고, 자매님들은 여러 번 영양이 넘치는 음식물을 공급해주시며 지지해주셨다. 이러한 사랑에 대한 감사는 말로 다 할 수 없는 것이었다. 사부인(査夫人)께서 불편을 무릅쓰시고 호주로 건너가셔서 병간호하시면서, 사위는 방사선 치료와 항암제 치료의 전 과정을 통과하였고 그 이후 몸이 하나님의 긍휼 하심과 크신 은혜 안에서 회복되어 어떤 신경학적 후유증도 없이 이전과 같이 건강하게 되었다.

SB자매님이 11첩 반상, 따뜻한 밥, 따뜻한 국을 싸서 병실로 가져다주셨다. 주님 안에서 지체들의 사랑이 많은 격려와 힘이 되었음을 어떻게 부인할 수 있겠는가?.

두 번째 뇌수술 중 신경외과 의사가 심한 출혈 중 어디로 가는지 모를 동맥을 결찰 한 것은 결국 암을 공급하는, 즉 암에 영양분을 공급하는 혈관이었음이 결과론적으로 판명된 셈이었다. 어려운 상황 속에서 최선을 다해 집도한 의사의 손을 통해 하나님께서 사위의 병변을 많은 지체이기도 한 것처럼 예리하게 정상 조직은 건들지 않고 암 조직만 손상을 입도록 제거하신 것이었다.

> [5-7] 주님께 힘을 얻고 그 마음에 시온을 향한 대로가 있는 이는 복이 있습니다. 바카 골짜기를 지날 때에 그들이 그곳을 샘이 되게 하니 이른 비가 정녕 그곳을 복으로 덮습니다. 그들은 힘에 힘을 얻으며 나아가 시온에서 하나님 앞에 저마다 나아옵니다. [12] 오, 만군의 여호와님! 주님을 신뢰하는 사람은 복이 있습니다. 시편 84:5-7, 12

바카는 '눈물 흘림'이라는 뜻이라고 한다. 하나님께서는 우리를 얻기를 원하시고 우리가 하나님과 정상적인 관계를 맺기를 원하신다. 이를 위해 때로 우린 눈물의 골짜기를 지나게 되나 이때 우리가 필사적으로 하나님을 의뢰하고 주님께 나가고 주님만을 앙망할 때 이 눈물의 골짜기는 생명의 샘이 되어 우리 속에서부터 샘 솟아오를 것이며, 성령님의 이른 비를 우리에게 내리시어 우릴 만족하게 하실 것이다.

이 길고 긴 글을 쓴 것은 캄캄하고 어두운 터널에 지금 막 진입하였거나 통과하고 있는 동료 믿는 이들을 위한 것이며, 그들로 하나님의 의도를 알고 이에 따라 이 어둠의 터널에서 빠져나오도록 돕기 위함이다. 하나님 우리 아버지의 한 없는 사랑과 우리 주 예수 그리스도의 평강과 성령님의 넘치는 공급이 바카 골짜기를 통과하고 있는 동료들에게 함께 하시기를 기도한다. 아멘.

# 41. 사무실 안 실험실

일전에 한 식물의 세계에 관한 자연과학 다큐멘터리를 본 적이 있었다. 숲속 식물들은 뿌리를 통해 서로 소통하고 정보도 주고 받고 심지어 영양을 공급해주기도 한다는 것이었다. 자신의 씨앗을 통해 멀리 떨어진 곳에 자라는 자녀 식물과도 연결되는데 식물들은 뿌리가 닿지 않는 곳은 곰팡이 균사(菌絲)를 통해 연결하여 정보를 주고받거나 필요한 물질을 공급하기도 한다는 것이었다. 검색해보니 근거가 되는 연구 결과가 언론을 통해서도 소개되었다.

그전에도 한두 개의 화분이 사무실 책상 위에 항상 있었지만, 지방 이전 정책으로 다니던 근무처가 원주로 옮겨진 후 가족과 떨어진 주중 생활로 인해서인지 더 많은 식물이 사무실 공간 안으로 들어오게 되었다. 집사람과는 기회가 될 때 동네 화원이나 양재 꽃시장을 방문하곤 하였고 심지어 과천 꽃 도매시장까지도 간간이 들리게 되었다. 화원에 갈 때마다 서로 "이번에는 꼭 보고 오기만 하는 거야. 절대로 하나도 사면 안 돼"하며 서로 다짐하며 세뇌하듯 말하지만 돌아올 때는 어김없이 두세 반려 식물이 우리 손에 들려 있곤 하였다.

그러던 중 천손초라 불리는 칼랑코에를 어느 다육식물화원에서 사게 되었다. 처음 그 모습이 종려나무 미니어처 같아 샀는데 이 식물은 기이한 생육방식을 갖고 있었다. 잎가장자리에 씨앗 같은 것이 자잘하게 붙어 있어 그것을 살짝 손대기만 해도 떨어지는데 그 씨앗 같은 것들은땅에 떨어지자마자 즉시 새싹들로 자라나 오기 시작하는 것이 아닌가? 사실 씨가 아닌 이미 새싹 형태로 잎가장자리에 붙어 있는 것이었다. 독특한 생육방식에 관심을 두고 키워보고 있는데 키가 쑥쑥 자라나다 보니 더 종려나무 미니어처 분위기를 느낄 수는 없었다.

이 우수수 떨어지는 씨앗과도 같은 작은 싹을 다른 곳에 뿌려 자라도록 하다 보니 또 한 가지 재미있는 사실을 관찰하였는데 먼저 다른 화분에 뿌려 놓은 것들보다 후에 떨어진 것은 귀찮아 엄마 천손초 화분에 그대로 떨어지도록 방치하였었는데, 시간이 지나고 보니 오히려 나중에 떨어졌지만, 엄마 곁에서 자란 새싹들이 딴 화분에 뿌려 독립적으로 된 새싹들보다 몇 배나 빨리 자라고 있었다.

왼쪽 화분이 엄마 천손초와 함께 있는 새싹들이고 오른쪽이 독립적으로 자라고 있는 새싹들이다. 오른쪽이 먼저 뿌려졌지만 왼쪽 보다 발육이 늦어지고 있다.

과학자들이 발견한 것처럼 뿌리를 통해 엄마와 소통하고 영양분도 분배받은 탓일까? 아니면 단순히 화분의 흙의 성분이 달라서일까? 후자라고 생각하기에 그 정도 흙의 성분이 차이가 날 것 같진 않아 다큐멘터리에서 본 내용이 사무실 안 내 화분들 속에서도 일어나고 있는 자연현상인 것 같아 흥미진진하였다. 식물도 육아하는구나. 생명의 신비! 우리가 다 알지 못할 놀라운 생명의 비밀들이 아닌가? 내 사무실 안에 작은 비밀의 실험실이 생긴 셈이었다.

# VII.
## 힐라스테리온

# 42. 길 한복판 사마귀

가을 날씨가 완연한 오늘, 점심시간 사옥 주위로 난 야트막한 산비탈 둘레길을 걸어 올라가며 산책을 하였다. 점심 식후 걷기에 딱 좋은 코스라 직원들이 삼삼오오 즐겨 걷는 길이다. 그런데 오늘은 직원들이 별로 보이지 않았다. 걷다 보니 길 한가운데 사마귀 한 마리가 미동도 하지 않고 당당하게 서 있었다. 발견한 내가 비켜서 길을 지나야 했다. 그런데 또 다른 곤충들도 눈에 띄었는데 주로 메뚜기들이었다. 그다지 볼품이 있지 않은 송장 메뚜기들이 대부분이었는데 이 메뚜기들은 내가 가까이 가기가 무섭게 이리 뛰고 저리 날고 하면서 나를 피하느라 분주하였다.

좀 더 걷다 보니 또 다른 사마귀 몇 마리가 길에 나와 있는 것이 보였는데 더러는 앞발을 움켜쥔 채로 무언가 공격하려는 듯한 자세로 내가 바로 옆을 지나쳐도 다들 미동도 안 하였는데 메뚜기들과는 큰 대조를 이루었다. 그런데 몇 발자국 떼지 않아 발에 밟혀 죽은 사마귀가 눈에 띄었고 얼마 지나니 몇 마리가 더 밟혀 죽은 것이 보였다. 그러나 밟혀 죽은 메뚜기는 한 마리도 보이지 않았다.

왜 사마귀는 여러 마리가 발에 밟혀 죽는데, 메뚜기는 그렇지 않을까? 아니, 메뚜기는 발에 밟혀 죽지 않는데, 왜 사마귀는 밟혀 죽을까? 그것이 궁금해졌다. 사마귀는 자신이 곤충의 왕이라 생각한 것일까? 자신의 싸움 실력에 대해 자신이 넘쳐 어떤 것도 겁이 나지 않음으로 무언가 피할 필요를 느끼지도 않은 것일까? 당당함이 지나쳐 죽음을 초래하게 된 것일까? 메뚜기는 자신이 약한 줄 알므로 눈치 있게 피하건만 사마귀는 두려움이 없어 닥칠 위험에 전혀 무감각했던 것일까?

눈이 높은 것과 마음이 자만한 것 곧 악인의 등불은 죄이다. 잠언 21:4

# 43. 똑똑한 불행

 우리나라 사람들은 다 똑똑하다. 아이큐가 전 세계 최상위권이라고 한다. 그리고 이 수재들이 좁은 한반도에서 오랫동안 함께 살아왔다. 수많은 사건, 격랑의 세월을 함께 보내왔다. 그래서 이제 누가 한마디라도 하면, 받아들이거나 감상의 마음이 생기기보다 판단과 정죄의 말이 먼저 나간다. 마치 말 한마디, 행동하나 신선하고 사랑스럽게만 느껴졌던 신혼의 아득한 추억을 뒤로하여 삼사십 년을 함께 살아온 부부처럼, 남편이 무엇이라 하면 아내의 입에서는 긍정적 반응 대신 '그건 아니지'란 말이 나오고, 아내가 무어라 하면 남편은 한숨과 실소를 하며 '그게 왜 그런 거야'라고 반문을 하는 그런 오래된 부부처럼 말이다.

 똑똑한데 결과는 불행하다. 우리는 서로를 받아들일 마음에 조금의 여지도 없으니 불화와 다툼이 가득하다. 유일한 안위는 '그러니까 나라가 발전하는 것 아니냐'라는 것. 적지 않은 사람들과 대화 중에 느끼는 것은 그들이 선생이요 재판관이요 전지적 관점을 가진 사람들이라는 것이다. 모든 것을 알고 모든 것을 판단할 수 있으니 다른 사람의 말이 귀에 들어 올 리가 없다. 때론 겉으로는 듣고 있는 것 같지만 속으로는 냉랭한 것이다.

> 어떤 일도 이기적인 야심으로 하지 말고, 헛된 영광을
> 위해 하지 말며, 오직 생각을 낮추어 서로 자기보다 남을

낮게 여기십시오. 빌립보서 2:3

물은 낮은 곳을 향하여 흐른다. 그러니 항상 높은 데 있는 똑똑한 이들은 목마를 수밖에 없다. 모든 것을 알고 모든 것을 판단하나 정작 그 사람은 메마르고 차갑고 심지어 공허하기까지 하다. 아 똑똑함의 불행이여!

# 44. 태양에 도달하는 길

 2018년 8월 11일 인류는 태양을 향하여 탐사선을 쏘아 올렸다. 그 이름은 '파커 태양탐사선(Parker Solar Probe), 지금까지 쏘아 올린 어떤 탐사선보다 더 빠른 시속 70만km의 속도로 태양을 향하여 날아가는데 사실 태양을 향해 가기만 하는 것은 아니다. 파커 태양탐사선은 지구와 금성의 중력을 이용하여 반복해 태양 주위를 긴 타원형 궤도로 돌면서 근접하였을 때 태양의 다양한 현상을 관찰하고자 제작되었다고 한다.

 과학자들은 태양에 대해 많은 궁금증을 가진 모양이다. NASA의 과학자들은 탐사선을 보내 직접 관찰할 수 있는 거리에 있는 유일한 별이라는 것과 태양이 지구에 특히 생명체에 미치는 영향이 절대적이기에 지구에 지대한 영향을 미치는 코로나, 태양이 발산한 입자의 흐름인 태양풍 같은 태양의 천체 물리학적 특성을 자세히 알아보고 싶어 한다. 태양은 기이하게도 표면 온도보다 태양의 공기층인 코로나의 온도가 167배 정도 더 높다. 미 항공우주국 나사(NASA)는 파커 태양탐사선을 코로나 속으로 진입시켜 태양풍과 태양 자기권과 같은 물리적 특성을 관찰하고 입자 본보기도 채취하여 그 정보를 전송하도록 계획하였다.

 NASA에 따르면 파커 태양탐사선은 2021년 4월 28일, 태양의 8번째 근접 비행 중에 처음으로 태양 대기권에 진입했고 2023년

6월 27일 태양에 시속 58만 km의 속도로 16번째 궤도에 도달했다고 한다. 여객기의 속도를 시속 800km로 본다면 725배의 속도로 날아간 셈이다. 이번에 접근 거리는 태양 표면에서 853만 km로 근접 비행하였는데 이러한 사실만으로도 과학자들은 환호하며 기쁨을 감추지 못하고 있다.

연세대 천문 물리학과 이석영교수의 '초신성의 후예'라는 글에 따르면 태양은 지난 수십억 년을 지나면서도 표면 온도를 일정하게 유지해 왔다고 하는데 밝기가 1%만 달라져도 주변 행성에 미치는 영향은 지대하여 인류는 물론 지구의 모든 생명체는 멸망할 수밖에 없다고 한다. 매초 약 1조 개의 수소폭탄이 터지는 것과 같은 핵융합반응 에너지가 이러한 항상성을 유지해 오고 있다고 하는데 무려 수십억 년간 이 막대한 에너지가 어떻게 그치지 않고 끊임없이 타오르고 있는 것일까? 누가 그 에너지를 조달하고 있을까?

비록 사람이 이 신비의 항성에 직접 가지 못할지라도 구름 없는 한 낮, 우리 두 손을 펴서 내밀어 보면 그 태양을 느낄 수 있다. 한겨울 추운 날이면 그 따뜻함으로 우리는 기분이 좋아지게 될 것이다. 가지 못해도 태양을 누리고 체험할 수 있고 심지어 그 태양입자가 산출한 이 땅의 생명의 소산들을 먹고 그 요소로 우리가 조성되기도 하는 것이다.

성경에서는 종종 하나님을 태양에 비유한다.

> 그러나 내 이름을 경외하는 너희에게는 의의 해가 치료하는 날개를 지니고 떠오르리니, 너희가 나아가 잘 먹인 송아지처럼 될 것이다. 말라기 4:2

태양의 극한 에너지 발산과 초고온 등의 물리적 특성으로 사람은 맨몸으로 태양을 만져볼 길이 없다. 그전에 형체도 없이 타죽을 것이다. 성경에서도 하나님을 사람이 그냥 뵙게 되면 즉사할 것을 말해 주고 있다. 하나님의 의의 타오르는 불꽃으로 인해 사람은 불타게 될 것이다.

> 여호와께서 또 말씀하셨다. "그러나 너는 내 얼굴을 볼 수 없다. 왜냐하면 나를 본 사람은 아무도 살아남을 수 없기 때문이다." 출애굽기 33:20

그러므로 죄인인 사람이 어떠한 과정이 없이 그대로 하나님을 뵙는다면 그날 그 사람은 죽게 될 터이나, 어떤 이들은 경외함과 두려움 없이 하나님을 내게 보이게 하라 그럼 내가 믿겠다고 말한다. 이는 그가 즉사하고 싶다는 뜻이다.

이 하나님께서 어느 날 우리와 같은 육신을 입으시고 사람으로 오셨다. 마치 초고온의 태양열이 태양을 떠나 지구에 도달한 태양 빛과 같이 말이다. 그 빛이 예수 그리스도이시다. 우리가 받아들이고 체험하고 누릴 수 있는 분이 되신 하나님이 예수 그리스도이시다.

앞선 믿는 이들은 우리에게 이렇게 말한다. '수력 발전소에서 생성되는 그 수만 킬로와트의 범접할 수 없는 전기가 변전소를 거쳐 우리 집 안으로 설치되었을 때 간단히 스위치를 올리면 그 엄청난 전기를 누릴 수 있는 것과 같이 우리가 주 예수님을 구주로 받아들이고 그분의 이름을 부른다면 선풍기가 돌아가듯, 냉장고가 작동하듯 우리의 인생의 모든 필요를 하나님께서 충족시키신다는 것을 깨닫게 된다는 것을 말이다.

[참고 및 인용 자료]
https://www.nasa.gov/content/goddard/parker-solar-probe
Parker Solar Probe
NASA's Parker Solar Probe will be the first-ever mission to "touch" the Sun. The spacecraft, about the size of a small car, will travel directly into the Sun's atmosphere about 4 million miles from our star's surface.
https://www.nasa.gov/content/goddard/parker-solar-probe-humanity-s-first-visit-to-a-star

# 45. 쓰레기와 자연

 West Virginia University의 Cagri Kilic은 더 컨버세이션(The Conversation)에 지난 50년간의 인류의 로봇 탐사로 인해 사람의 발이 닿지도 않은 화성에 15,694 파운드(7119 kg)의 인류의 쓰레기를 남겼다고 주장하였다.

 한국 해양과학기술원(KIOST)은 국립 해양생물자원관, 국립생태원과 더불어 우리나라 연안에서 발견된 붉은 바다거북과 푸른 바다거북을 포함한 네 종류의 바다거북 사체 34마리 중 28마리를 부검한 결과 그 안에서 총 1,280개(118g)의 플라스틱이 발견되었다고 발표한 바 있다.

 세계은행에 따르면 인류가 2020년에 배출한 고형 폐기물의 양은 22억 4천만 톤이고 이는 한 사람이 하루에 하루에 0.79킬로그램의 쓰레기를 버린 것에 해당한다고 하며, 2050년에는 한 해 배출량이 38억 8천만 톤에 도달할 것으로 예상된다고 한다.

 이렇게 인구가 증가하고 도시화가 가속화되고 편리한 것을 찾고 여기에 코로나-19 같은 공중보건 위기로 비대면 생활 습관이 늘면서 쓰레기 배출량은 급속도로 증가하게 될 것이다. 이렇다 보니 '월-E' 같은 영화 속 상상을 하게 되는 것은 자연스러운 일이다. 지구가 쓰레기로 가득하게 되고 쓰레기 처리 로봇만을 남기고 인류는 다른 삶의 터전을 향해 떠나버리는 것 같은 설정 말이다.

이에 비하여 하나님은 무엇을 남기실까? 그분께서 창조하신 피조물 중 연어를 예로 들어보자. 수많은 연어 떼가 자신이 태어난 강으로 돌아와 수심이 얕은 곳까지 이르러 산란을 하면 이내 죽게 된다. 죽어서 부패하게 된다면 악취와 오염이 심하게 될 터이나 그 많던 연어들은 곰이나 독수리의 먹이가 되고, 그 과정에서 뭍으로 옮겨진 연어 사체들은 숲에 영양분을 제공해 주어 숲을 기름지게 해준다고 한다. 물속에 남은 사체들도 다른 생명체들의 먹이가 되거나 미생물들에 의해 분해되어 영양소가 되어 지역의 생태계에 도움을 주고 깨끗이 사라지게 된다. 쓰레기가 아닌 아름다운 자연의 순환을 도울 뿐이다. 거대한 나무가 죽어 쓰러져도 곰팡이들과 세균들은 서서히 이 나무를 분해해 주변 식물들에 영양분이 되도록 돕는다.

사람은 쓰레기를 남기지만 하나님께서는 자연을 남기시는 셈이다.

그러면 사람들이 상상하는 것처럼, 인간이 배출하는 쓰레기들을 하나님처럼 근본적으로 처리할 능력이 없는 사람들이 쌓아놓는 쓰레기들로 인하여 우리는 지구를 떠나야만 하는 일이 벌어질까? 인류의 후손을 위해 지구와 같은 생태계를 갖춘 외계 행성을 찾으러 머나먼 여정을 떠나야 할까?

사람은 뒷감당할 수 없어 떠날 궁리를 해야 하겠지만, 하나님께서는 그분께서 창조하신 이 땅을 복원하시러 오실 것이다. 그리고 기록된 것처럼 온 우주 만물을 새롭게 하실 것이다. 그 과정에서 물질을 이루는 분자 구조들은 뜨거운 열에 의하여 서로 결합하는 힘을 잃고 흩어지면서 물질들이 풀어지게 될 것이다. 이렇게 되면 쓰레기들은 모두 원자 수준으로 나뉘어 그 형체가 사라져 버릴 것이고, 두 번째 이 땅에 오실 주 예수님께서는 온 땅을 복원하실 것이다. 그러니 인류가 살 수 있는 또 다른 행성을 찾으려 애쓰지 말고, 주 예수님의 다시 오심을 예비하는 것이 더 현명한 일이다.

> 그러나 주님의 날은 도둑같이 올 것입니다. 그날에 하늘들은 큰 소리를 내며 사라지고, 원소들은 뜨거운 열에 타서 풀어지며, 땅과 땅에 있는 모든 것은 타 버릴 것입니다. [13] 그러나 우리는 하나님의 약속에 따라 의가 거하는 새 하늘들과 새 땅을 고대하고 있습니다. 베드로후서 3:10, 13

# 46. 힐라스테리온

하나님께서 사람을 창조하신 것은 그저 그런 사람들로 살라고 하신 것이 아니었다. 서로 미워하고 다른 이의 기쁨을 보지 못하는 심지어 타인에게 해를 끼칠 사람으로 만드신 것은 더더욱 아니지만, 평범하고 착하고 서로 도움을 주고 서로 존중하는 정도의 존재가 되는 것만으로 만족하신 것도 아니었다.

하나님께서 사람을 지으신 의도는 창세기 1장 26절에 분명히 나타나 있다.

> 하나님께서 말씀하셨다. "우리가 우리의 형상대로 우리의 모양에 따라 사람을 만듭시다. 그리고 그들이 바다의 물고기와, 하늘의 새와, 가축과, 온 땅과, 땅 위를 기어 다니는 온갖 기는 것을 통치하게 합시다." 창세기 1:26

창세기의 이보다 앞선 구절들에 따르면 하나님께서 모든 생물을 지으실 때 하나의 원칙을 가지셨는데, 그것은 '제 종류대로(according to their kind)'였다. 이런 원칙을 알았고, 신앙을 지니고 성경의 배움이 있었던 린네(Carl Linnaeus)와 레이(John Ray)는 종의 분류법을 제시하여 생물 분류학에 큰 영향을 끼쳤다.

무엇이 종을 구분 짓는가? 모양(likeness)과 형상(image)이 다를 때 다른 종이 된다. 형상은 어떤 존재의 내적 속성의 표현이고 모양은 외양이라고 할 수 있다. 예를 들어 토끼와 호랑이를 놓고 보자. 바깥 모양이 다를 뿐 아니라 그 생김새에서 토끼는 온화함이, 호랑이에게서는 용맹함이 느껴지지 않는가? 두 생물이 주는 이미지가 각각 다르다. 아무도 토끼를 보고 무서워 벌벌 떨지는 않겠지만 호랑이를 마주 대한다면 오금이 저릴 것이다.

창세기 1장에 따르면 각종 채소, 과수, 물고기, 새, 곤충, 동물들은 다 각기 종류대로 지어져 고유의 형상과 모양을 갖게 되었다. 이런 흐름대로라면 여섯째 날 사람을 창조하실 때 하나님께서는 제 종류대로 지으셨다고 말하셔야 했다. 그런데 사람을 지으실 때 하나님께서는 갑자기 어조를 달리하시어, 하나님의 형상대로 하나님의 모양을 따라 사람을 만드신 것이다.

그렇다면 도대체 사람은 무슨 종(種)으로 창조된 것일까?

이렇게 사람을 지으신 후 그들에게 "자녀를 많이 낳고 번성하여, 땅을 가득 채우고 땅을 정복하여라. 그리고 바다의 물고기와, 하늘의 새와, 땅 위에서 움직이는 살아 있는 온갖 것을 통치하여라."라는 위임을 주셨다. 이렇게 사람은 창조 당시부터 하나님과 떼려야 뗄 수 없는 매우 밀접한 관계로 지어졌다.

이런 사람이 하나님의 말씀과 위임을 저버리고 타락하게 되었다. 이어서 거짓말을 하고 질투하고 살인을 저지르며 마음에 생각하는 것마다 악하기만 할 정도로 타락하게 되었고, 심지어 하나님을 대항하여 자신들의 이름을 내고자 하였다. 이것이 창세기 전반에 걸쳐 일어났던 일이었다.

수많은 죄 가운데 타락한 인류에 대해 하나님께서는 다음과 같이 묘사하신다.

> 내 백성이 두 가지 악을 행하였다. / 그들은 생수의 원천인 / 나를 저버렸고 / 자기들을 위해 저수조들을 팠는데 / 그것들은 물을 담아 둘 수 없는 / 새는 저수조들이었다.
> 예레미야 2:13

우린 수많은 죄를 열거하며 우리가 얼마나 악한 자들인지 말할 수 있겠지만 하나님 눈에 이 모든 것은 나타난 증세이고, 그 근원은 사람이 하나님을 떠난 것 때문이요 하나님 아닌 데서 그들의 목마름을 해결하려 했기 때문이었다고 말씀하고 계신 것이다. 이 죄악 된 것의 결과는 사망을 가져왔다. 우린 흔히 힘들어 죽겠다. 피곤해 죽겠다. 배고파 죽겠다는 말을 사용한다. 기쁘지 않고 암울하고 무기력한 것은 이 사망의 권세 아래 있는 증거 중 하나이다. 죄의 결과 우리에게 온 이 사망이 하나님에게 또한 크나큰 원수이다.

죄 가운데, 사망의 그늘 아래 있는 우린 다른 한 면에서 하나님과 원수 된 상태에 있으며 하나님과 매우 밀접한 관계를 맺어야 정상적인 삶을 살 수 있는 우리의 인생이 비정상적인 양태(樣態)를 보이는 것은 어쩌면 너무나도 당연한 일이다. 하나님을 떠난, 하나님 없는 삶은 고되고 어둡고 심지어 공허한 일생이다.

 이런 하락 가운데 있는 사람이 다시 하나님께 돌이키고, 하나님과 정상적인 관계를 맺고, 사람을 지으신 원래의 목적을 이루시도록 할 길은 없는 것일까? 사망의 그늘에서 벗어나고 어둠은 사라지고 기쁨과 안온한 마음으로 가득 찬 살맛 나는 인생을 살 길은 없는 것인가? 행복한 인생을 사는 것이 죄스럽고 불가능하기만 한 것일까?

> 그리스도 예수님의 피로, 사람의 믿음을 통하여 하나님께서 그리스도 예수님을 드러내시어 화해 장소로 삼으셨습니다. 그것은 하나님께서 이전에 사람들이 지은 죄들에 대하여 오래 참으시면서 지나쳐 가심으로 그분의 의를 나타내시기 위한 것이며, 로마서 3:25

 인디아나 존스의 레이더스에서 성궤가 나오는 장면을 보신 분들은 기억이 나실지 모르겠는데 이 언약궤라고 불리는 성궤는 구약의 성막의 지성소 안에 놓였고 성궤의 위에 속죄소, 속죄 덮개로 불리는 화해 장소가 있고 그 위에 두 그룹(cherubim: 하나님의 영광과 관련된 천사)이 얼굴을 마주 대하며 속죄 덮개를 바라보고 그 날개들은 속죄 덮개를 덮었다. 구약에서는 일 년에 한 번 대제사장이 지성소 안에 들어가 속죄 덮개 위와 앞에 제물들의 피를 뿌리므로 속죄하여야 했다. 그럴 때 하나님의 백성들을 향한 진노가 가라앉혀지고, 하나님과 사람은 화해를 이루고 하나님의 임재 안으로 사람은 이끌리는 것이다.

이 속죄 덮개, 다른 표현으로 화해 장소를 헬라어로는 힐라스테리온(ἱλαστήριον)이라고 한다. 성경 중 로마서에서 바울은 그리스도 예수님께서 하나님과 사람이 화해를 이룰 수 있는 장소라고 말하고 있다. 구약에서 대제사장이 일 년에 한 번 제물들의 피를 뿌렸지만 주 예수님은 흠이 없는 자신의 피를 흘리심으로 우리로 지성소 안에 들어갈 수 있는 산길을 열어 놓으셨고, 화해 장소이신 주님에 의해 하나님 앞에 우리의 모든 죄와 악함과 심지어 우리의 존재 자체의 그릇된 모든 것을 주님께서 처리하심으로 우리로 진정한 화해를 이루셔서 이제 하나님은 우리를 그분의 영광의 임재 안으로 이끄시어 그분과 깊은 교통을 갖게 하실 수 있게 되었다.

사람이 하나님 앞에 나가지 못하는 것이 인류의 가장 큰 문제였다. 하나님 없이 사는 것이 인류의 가장 큰 고통이었다. 하나님과 관계를 맺지 못하는 것이 가장 큰 저주이다.

힐라스테리온, 하나님 앞에 인류의 문제가 해결된 장소이다. 힐라스테리온, 하나님께서 예비하신 화해 장소이신 예수 그리스도, 그분으로 말미암아 우린 하나님께 나갈 수 있고 영광의 하나님 안으로 들어갈 수 있게 되었다.

이 길은 예수 그리스도를 구주로 영접한 자들에게 열린 길이다. 당신이 착하든 악하든, 학식이 많든 적든, 부유하든 가난하든 상관이 없다. 당신의 마음을 열고 어둠 가운데, 사망의 그늘 가운데 더는 방황하지 말고 예수 그리스도를 당신의 구원의 주로 받아들이시라. 하나님께서 기다리고 계신다. 간절히.

# 47. 포도나무의 가지

　규모는 작지만 내게 필요한 모든 방면의 필요가 다 채워졌을 무렵, 채울 수 없는 공허함이 내게 몰려왔고 이전에 체험하였던 절대자에 대한 체험이 나로 하여금 다시 그분을 찾게 하였다. 1987년 결혼생활의 시작과 함께 성경에 기록된 진리들이 내게 하나하나 열리기 시작하였고, 그중 한 가지는 신약의 믿는 이들은 복음의 제사장들이라는 것이었다.

> 　이 은혜로 나는 이방인들을 위한 그리스도 예수님의 사역자, 곧 하나님의 복음에 수고하는 제사장이 되었습니다. 그것은 이방인들이 성령 안에서 거룩하게 되어 하나님께서 기쁘게 받으실 만한 제물이 되게 하려는 것이었습니다. 로마서 15:16

　앞선 신실한 믿는 이들은 '제사장은 하나님을 사람들에게 이끌어 오고 사람들을 이끌어 하나님께 나아가도록 돕는 사람'이라고 알려 주었다. 이러한 말씀에 격려를 받아 초신자 때부터 내가 느낀 만큼 주변에 있는 사람들에게 하나님을 알려 주기 시작하였다.

　처음으로 하나님을 전한 것은 내과 수련의 시절 함께 하였던 간호사들이었는데 그들 중 두 사람이 내 말에 귀를 기울였다. 그

중 처음에는 덜 적극적인 것처럼 보였던 KH Kim 간호사분이 주님께 인도되어 가정을 이루고 지금도 교회 생활 안에 있다. 사실 간호사분들은 하루 3교대로 불규칙한 생활을 해야만 해서 병원 밖에 있는 사람들이 이들을 도와 하나님을 알도록 하기가 쉽지 않다. 근무가 아닌 시간에는 다음 근무를 위해 충분히 쉬어야 해서 일반 사람들을 접촉하는 것이 그다지 쉬운 것이 아니기 때문이다. 병원에 근무하면서 간호사분들에 대한 부담을 점차더 갖게 된 것은 이러한 이유와 더불어 고된 의료현장에서 함께하는 동료들이었기 때문이었다.

수련 기간이 끝나고 전문의를 취득한 후 의무복무기간 동안 공군의 비행군의관(flight surgeon)으로 근무하게 되었는데 첫해 후반기에 예천으로 잠시 부대가 이전하여 6개월간 그곳에 근무하게 되었다. 주말에 당직이어서 한가로이 부대 건물 앞 작은 연병장을 거니는데 한 사병이 내 주변을 빙빙 돌며 따라왔다. 마치 지구 주위를 달이 돌듯 일정 거리를 두고 따라와서, 그 사병을 불러 이런저런 이야기를 하다 자연스럽게 예수 그리스도께서 우리의 구원의 주가 되심을 전해 주었는데 그는 신기하게도 내가 하는 말을 다 받아들였다. 그렇게 그는 구원을 받았고 제대 후에 간간이 그가 교회 생활을 한다는 소식을 들었다. 이것이 두 번째 복음의 열매였다.

공군 근무 중 후 2/3 기간은 항공의학적성훈련원의 내과 과장으로 근무하게 되었는데 이곳에서 세 사람에게 복음을 전할 기회가 주어졌다. DW Kim, OH Kim와 MH Cho 세 사람이 주님을 받아들였고 뒤에 두 사람은 최근까지도 연결되어 소식을 나누고 있고 교회 생활 가운데 계시며, 첫 번째 분은 연락이 끊겼지만, 훗날 가톨릭에서 생활하신다는 이야기를 들었다.

제대 후 호흡기 내과 전임의 생활을 시작하며 대학병원에서 환자 진료와, 연구와 의과대학생 교육의 업무를 감당하다 보니 새벽 6시에 집에서 나와 저녁 10시 넘어 귀가하는 것이 매일의 일상이 되었다. 당시 큰 딸아이가 어렸는데 아이가 깨어 있는 것을 본 적이 없었다. 이렇게 일 년을 생활하던 중 둘 중에 하나를 선택해야 할 것 같았는데, 직장 옆으로 집을 옮기거나 아니면 개인 의원을 개설하는 것이었다.

어떻게 해야 할지 고민하던 중에 한 꿈을 꾸게 되었는데 거대한 용들, 한 용은 집게처럼 큰 소라 껍데기 안에 들어갔다 나왔다 하고 또 다른 용은 성큼성큼 자신의 위용을 드러내며 걷는 것이 보였는데 그 가운데 동자 한 아이가 그들 중 첫 번째 용에게 절을 하고 있는 모습이 보였다.

아내와 상의하고 깊은 고려 끝에 개원하는 것으로 방향을 정하였다. 당시 교실에서 내게 분자 유전학 연구와 관련된 트레이닝을 시켜 주었고 관련된 연구를 진행하고 있었기 때문에, 지도교수님께 나의 뜻을 밝히고 후임을 뽑아주시면 일 년간 인수인계하고 그 후 이직하겠다고 말씀드렸다. 약속드린 일 년이 다 돼 갈 무렵 개원할 장소를 알아보러 다녔는데 1994년 그 당시 1억 원 정도 초기 자금이 필요하였다. 그런 큰 자금이 있을 리 만무하였던 우리는 은행 대출을 받아야 하는데 거금을 대출받는다는 것이 몹시 불안하였다. 모든 것이 불투명하고 불확실한 미래일 뿐이었다. 그러나 후임이 정해졌기에 번복할 상황이 아니었으므로 나는 이 직장을 그만두어야 할 상황이었다. 나의 위 기능은 이전에 쇠를 소화할 정도로 튼튼하였는데 이때 처음으로 어린 시절 이후 위경련이란 것을 경험하였다.

진퇴양난의 상황 가운데 일간지에 내가 사는 집 근처에 대형 병원이 개원하며 의사를 모집한다는 광고가 올라왔다. 규모가 있는 종합 병원이어서 내과도 분과별로 모집을 하여 호흡기 내과를 전공한 나의 경력을 활용할 여건이 되었다. 아직도 면접 당시 이사장님의 모습이 눈에 선한데 면접이 끝나자 갑자기 일어서시더니 연로하신 분께서 내게 90도로 절하시면서 새로 개원할 병원의 호흡기 내과를 잘 자리 잡게 해달라고 당부하셨다. 당신께서도 훌륭한 의사로서 명망이 있으신 분이시고 나는 아들뻘밖에 안 되는 새파랗게 젊은 의사였는데 자신을 낮추시어 말씀하시는 모습에 보통 분이 아니시라는 느낌을 받았다.

집에서 차로 10분 거리밖에 안 되는 곳에 호흡기 내과의 책임자로서 일할 기회가 주어졌다는 것이 내겐 소중한 기회가 되었다. 처음 개원한 병원인지라 여러 여건이 미비하였고 내 입원환자가 30-40명이나 되었지만, 매일 아침저녁으로 회진을 돌고, 외래도 거의 매일 보며 불도저처럼 일하였다. 인근 타 대학병원에서 진단이 안 돼 고생하던 불명열 환자도 나의 진단에 따라 수술하자 그다음 날로 발열이 멈추고, 국내 최초 보고 사례가 되는 희귀 질환들도 진단하고 치료를 하여 완치되어 유수한 국제 학술지에 보고도 하게 되면서 나는 의사로서 자신감이 생기기 시작하였다.

아침에 출근하는 길에 교회 집회 장소에 들려 성도들과 아침 일찍 성경 말씀을 읽고 기도하는 시간을 갖고 출근하였다. 그런 매일의 시작으로 인해 나는 매우 활력적이 되었고 병원 분위기도 모든 것이 새로워 처음 만나는 병원 내 직원들에게 스스럼없이 인사하고 웃으며 대하며 심지어 좀 친해지면 성경을 같이 읽어보는 것이 어떻겠냐고 묻곤 하였다. 그러던 중에 점차 동료 내과 의사들을 중심으로 점심시간에 30분 정도 성경을 같이 읽는 소그룹 모임이 자연스럽게 시작되었다. 내과 외래 간호사였던 YJ Kim, 폐기능검사실 근무하던 JA Kang 그리고 내과 동료 의사들인 YS Park, HR Kim, JW Choi, SJ Gong, 소아과 KY Kim, 임상병리과 HE Son, 그리고 내과 수련의였고 훗날 내과 전문의로 알레르기 호흡기 내과 스탭이 되었던 HY Kim, 정형외과 CG Shim, 성형외과 KS Jo 선생님이 주님을 영접하고 침례를 받게 되었다. 이분들 대부분이 지금까지 교회 생활 가운데 계신다. 당시 기존에 이미 크리스천이셨던 소아과 KH Park 선생님도 함께 성경을 추구하였다.

함께 추구하는 분들이 주 예수님과 성경 말씀에 빛 비춤 받고 하나님을 체험하고 누리는 것을 서로 말해 주곤 하였는데 이런 모임에서의 상호 교통으로 하나님을 점차 알아가는 것에 대해 각자가 기뻐하게 되었고, 나도 이분들의 이러한 공급과 모습에 크나큰 격려를 받았다.

이분들 중 박 선생님은 남편, 부모님이 모두 주 예수님을 영접하고 구원을 받게 되었고, 김간호사분도 남편이 구원을 받고 교회 생활안으로 들어왔다. 손 선생님은 미국으로 이민을 가셨는데 그곳에서 남편분도 함께 주님을 섬기며 교회 생활을 하고 계신다. 조 선생님의 남편 되시는 분도 구원을 받게 되었다. 제자이자 동료가 된 김 선생님의 남편인 HT Lee선생님은 대학생 시절 한때 이단에 빠져 고생하였는데 종교적 배경이 없었던 아내가 직장에서 연결된 사람들과 성경 모임을 갖는다고 하여 마음에 염려로 우리 모임이 문제가 있는 것은 아닌지 보러 왔다가 주님께 사로잡혀 심지어 주님을 섬기는 봉사의 일을 적극적으로 하였고 지금도 교회 생활 가운데 함께 하고 있다.

> 나는 포도나무요, 여러분은 가지들입니다. 그가 내 안에, 내가 그 안에 거하면, 그 사람은 열매를 많이 맺습니다. 왜냐하면 나를 떠나서는 여러분이 아무것도 할 수 없기 때문입니다. 요한복음 15:5

성경은 우리가 포도나무이신 주 예수님의 가지들이라고 말한다. 우리가 주 예수님 안에 거하면 주님은 우리 안에 거하시고, 우리가 그분께 조금 열어드려도 그분은 그분 자신의 생명을 우리 안으로 분배하셔서 우리로 그분의 생명의 본성에 따른 포도 열매들을 맺게 하신다고 하셨다. 포도나무가 포도 열매의 결실을 보는 것은 기적이 아닌 생명의 자연스러운 결과인 것처럼 모든 믿는 이들은 자신을 주 예수님께 열어 드리고 주님의 말씀에 자신을 열어 드릴 때 주님께서 우리 안에 역사하시어 열매를 맺도록 인도하신다. 이것은 생명의 자연스러운 흐름이요 결과이다.

이 모든 과정을 아내와 주님 안에 가족, 형제 자매님들과 함께 하였고 기도와 목양의 공급이 주님의 몸 된 교회로부터 왔다. 특히 장모님의 기도가 큰 영향이 있었다는 것은 장모님께서 주님 품으로 가신 후에야 깨닫게 되었다. 당시 큰 힘의 공급이 상실된 것을 느꼈다.

5년이 다 돼 갈 무렵, 한 면에서 나는 점차 지쳐가고 있었다. 내가 해결할 수 없는 난제의 환자들을 대하는 빈도도 늘어나고, 내게 오래 다니던 환자분들, 특히 폐기능이 저하된 만성폐질환자들에게는 매해 겨울이 고비가 되곤 하는데, 그분들 중 일부가 세상을 떠나는 일이 생기다 보니 마음이 편치 않았다. 더 해드릴 수 있는 것이 없다는 한계와, 또 좀 더 잘하였다면 돌아가시지 않으셨을 텐데 하는 자괴감도 들기 시작하였다. 그러던 중 계기가 되어 잠시 개원하였다가 정부산하 공공기관으로 이직하면서 임상 현장을 떠나게 되었다. 수련 기간을 포함하여 17년에 걸친 임상의 현장이었다.

나의 직장 외에도 아내의 직장 동료였던 EJ Lee과장님이 주님을 영접하고 함께 한동안 성경을 같이 추구하였고, 그 이후도 아내의 직장 동료였던 YS Si 과장님이 주님께 인도되어 지금까지도 함께 말씀을 추구하고 누리고 계신다.

교회 안에 갓 인도된 방자매님의 부군이신 CH Kwak교장 선생님은 의롭고 선한 성품을 지니신 전형적으로 모범적이신 분이셨다. 당시 기독교에 계신 어떤 동료 선생님의 잘못된 행동으로 곽 교장 선생님은 믿는 이들에 대해 마음이 많이 상하신 상태였다. 이분을 교회 생활 안으로 인도할 부담을 아내와 함께 갖게되었는데 우리로 인해서도 혹시나 마음이 상하실 일이 생기지 않을까 조심스러웠으나 모든 것을 주님께 맡기고 어떤 의도도 갖지 않고 자연스럽게 대하였다. 얼마 지나지 않아 이 교장 선생님과 두 아들 모두 주님께 인도되었다.

또 새롭게 교회 안으로 인도된 배자매님의 남편 되시는 HS Kim님은 당시 문구점을 운영하고 계셨고 종교적 배경이 전혀 없으신 분이셨다. 아내 되시는 분이 갑자기 주 예수님을 믿는다고 하니 당황하셔서 혹시나 아내가 잘못될까 하여, 우리 소그룹 모임에 초청하였을 때 주저 없이 오셨다. 오셔서 하신 말씀이 "아내가 가는 곳이라면 불구덩이라도 따라가야 해서 오셨다"고 하여 우리가 박장대소하며 맞이하였다. 우리가 믿는 하나님에 대해,

주 예수님께서 우리의 구주가 되심에 대해, 우리 죄가 주님께서 희생양으로 대신 죽으심으로 인하여 사하여졌고 주 예수님을 믿는 이들은 하나님의 자녀가 되는 권위를 주셨음을 말해드렸더니 그날로 주 예수님을 영접하시고 구원을 얻게 되셨다. 구원받으신 후 항상 성경을 즐겨 읽으시고 문방구에서도 매일 성경을 펼쳐 놓으시고 읽으시며 말씀 읽기를 좋아하셨다.

장 자매님의 남편은 젊었을 때 기독교에서 생활을 잠시 하셨으나 결혼 이후 교회 생활을 떠났다. 장 자매님이 자신의 온 가정이 구원받기를 원하셨기 때문에 우리 부부와 몇몇 교회 형제자매님들이 장 자매님과 그 남편 되시는 JJ Koh님과 함께 다산 생태공원에 함께 산책하러 갔다. 처음 만나는 자리였는데 직설적이었고 안과 밖이 같은 순수한 분이란 느낌이 들었다. 이것저것 주님에 대해 내게 질문하여 생활 가운데 체험한 그리스도를 말해 드렸는데 그때 마음이 열려 곧 교회 생활에 들어오게 되었다. 이들 부부와 매주 성경을 함께 추구하다 얼마 되지 않아 장 자매님의 오빠 SS Jang님과 올케 YS Lee님이 주 예수님을 구주로 영접하며 침례를 받고 교회 생활 안으로 들어오셨다. 이 모든 과정에서 우리 부부가 함께 기도하며 함께 추구하고 함께 산책하러 가며 온라인과 오프라인을 활용하며 지금도 매주 함께 추구하고 있다.

이 글을 쓴 목적은 하나님께서 살아계시며, 지금도 그분은 우리 가운데 역사하고 계시고, 우리가 주님께 조금 열어 드리고 주님의 말씀을 붙들 때, 그분의 신성한 생명이 우리 존재 안으로 역사해 들어와 포도나무의 가지들이 뻗어나가게 하시며 포도 열매를 맺게 해주신다는 것을 보여드리기 위함이다. 이는 기적이나 뛰어난 어떤 능력의 문제가 아닌 전적으로 자연스러운 하나님의 생명의 문제임을 말씀드리고자 하는 것이다.

> 그때 나는 주님께서 말씀하시는 음성을 들었다. "내가 누구를 보내랴? 누가 우리를 위해 가랴?" 내가 아뢰었다. "제가 여기 있습니다. 저를 보내 주십시오." 이사야 6:8

# 발간 준비를 마치고

하나님의 말씀은 진리이다. 진리는 변하지 않고 항상 있으며, 오류가 없으며 언제 어디서나 적용되고 작동된다. 금세기 들어 인류는 발사체를 보내어 태양에도 접근하고 화성에 탐사 로봇을 보내며 토성에도 접근한다. 이렇게 사람이 직접 갈 수 없는 미지의 장소에조차 정확히 발사체를 보낼 수 있는 것은 천체 물리학을 활용하였기 때문이다.

공간과 생물학적 한계를 지닌 사람이 직접 우주 저 멀리 머나먼 장소에 갈 수 없다 할지라도 물리학적 원칙을 주도면밀하게 적용해 관찰 우주선을 보내어 직접 정보를 얻으려 수많은 시도를 해오고 있다. 물리학 법칙들이 참이 아니라면 인류의 노력은 희귀한 빈도의 운에 매달릴 수밖에 없을 것이다. 그렇다면 탐사 비용은 천문학적으로 들게 될 것이며 인류는 벌써 우주 탐사를 포기하였을 것이다.

우리에게 일어나는 인간사들, 우리 가정에서 일어나는 수많은 풍파와 고난의 환경들을 해결하는 것은 토성에 우주 탐사선 보내는 것보다 더 복잡한 일처럼 보일지 모른다.

나는 우리 가정을 포함하여 적지 않은 가정들의 고난과 절망과 힘든 일들을 체험하고 듣고 함께하며 통과해 왔다. 때로는 자녀가 때로는 남편이 때로는 아내가 때로는 주변의 상황이 우릴 숨막히게 하고 암울하게 하곤 하였다. 어떤 경우에는 그 압박은 사람이 짊어질 수 있는 무게가 아니라고 느껴지기 조차한다.

 이 모든 일을 겪고 난 지금, 물론 나는 완전히 모든 것을 통과한 모든 비결을 아는 전지(全知)한 사람이라고 주장하는 것이 아니지만, 한 가지 사실을 발견하였다고 말할 수 있는데, 그것은 하나님 말씀이 진리라는 것이다. 하나님 말씀은 천체 물리학 법칙보다 더 참되다. 하나님의 말씀을 제대로 알고 그분 마음의 선하신 갈망이 무엇이며 중심 뜻이 무엇인지 안다면, 그분이 어떻게 행하시고 어떻게 일하시는지 그 길을 안다면, 우린 모든 풍랑과 격랑 속에 안위함을 얻을 것이고 마음에 참된 평온함을 얻게 될 것이다.

> 제가 크게 고통을 당하였으니/오 여호와님! 주님의 말씀
> 을 따라 저를 살아나게 해 주십시오 시편 119:107

 하나님께서는 그분의 형상과 모양대로 지어진(창세기 1:26) 사람이 구원을 받고 진리를 온전히 아는데 이르기를 원하시며 (디모데 전서 2:4) 참으로 그들을 사랑하신다는 것을 깨달아야 한다. 또한 주 예수님께서는 포도나무이신 그분 안에 우리가 거하며 주님께서 우리 안에 거하시도록 허락해 드리는 삶(요한복음 15:5)을 살기 원하신다.

하지만 인류는 하나님과의 정상적인 관계에 머물지 않고 어리석은 양 같이 그릇되게 행하여 각기 자기의 길로 갔으나(이사야 53: 6), 하나님께서 우리의 모든 죄악을 주 예수님께 돌리시고 주 예수님은 십자가에서 우리 죄악을 담당하시어 이제 우리가 그분을 구원의 주로 받아들이기만 하면 우리의 모든 죄를 사하시고 죄악에서 건지시며 하나님으로부터 태어나 하나님의 자녀들이 되게 하신다(요한복음 1:12).

그러나 하나님의 자녀들이 된 후에도 그들은 이러한 하나님의 뜻을 이해하지 못하고 여전히 하나님과의 정상적인 관계를 유지하지 못하고 자기의 길을 행하다가, 이들을 돌이키게 하시려는 성령의 징계가 올 때 그들은 자신의 필요에 따라 자신의 관점에서 일상적인 수준으로 구하지만, 그들에게 여전히 임하는 환경은 뱀이나 전갈과 같은 환경으로 보여(누가복음 11:11-13) 낙심하나, 우리의 싸움이 피와 살이 있는 사람들에게 대항하는 것이 아니라 악한 영적 세력들에 대항하는 것이라는 것을 깨닫고(에베소서 6:12) 마음을 돌이켜 필사적으로 죽은 자를 살리신 하나님만을 신뢰하고 그분만을 바라보고 필사적으로 그분만을 의지할 때(고린도후서 1:9) 눈물의 골짜기가 생수가 솟는 샘으로 변하고 (시편 84:6) 하나님의 은혜가 촉촉이 적셔지는 은혜의 충만함을 누리게 된다. 그럴 때 그들은 하나님을 얻게 되고 하나님은 그들을 얻게 되시며 믿는 이들과 하나님의 관계는 정상적으로 된다.

우리와 하나님과의 정상적인 관계는 매일 하나님 말씀 앞에 나가 우리 안에서 새벽별이 떠오르기까지(베드로후서1:19), 성령의 빛 비춤이 임하도록 우리가 갈급하고 추구하고 누릴 때, 하나님의 신성한 본성에 동참하고 (베드로후서 1:4), 거룩하게 되고(로마서 6:19), 영광스럽게(로마서 8:18)되며 유지되고 발전해 나간다. 이럴 때 우린 하나님의 지키시는 손 안에(요한복음 10:28-29) 은혜와 평강이 가득한 일생을 살게 된다(민수기 6:24-27). 이것을 일컬어 '포도나무와 가지의 삶'이라고 한다.

이것은 하나의 법칙이며 흔들리지 않는 견고한 진리의 말씀이다. 이런 과정을 혼자서 통과하는 것은 매우 어려움으로 동료 믿는 이들과 함께 자신의 문제를 내어놓고 함께 기도하며 말씀을 의지하고 하나님의 중심 뜻을 이해하고 필사적으로 하나님께 나아갈 때 당신은 하나님의 구원을 보게 될 것이다.

인용된 성경은 기본적으로 회복역을 사용하였다. 구약은 히브리어, 신약은 헬라어 원문에 가깝도록 번역하며 우리 정서에 맞는 표현으로 번역하였고 비교적 최신에 번역되어 문구가 어색하지 않고 그다지 어렵지 않은 권위가 있는 성경 번역본이다.

# 추천의 글

## 장윤화, 50대 가정 주부

내게 각인된 의사의 이미지가 있다.

책상 위에 있는 진료기록부를 내려다보며, 딱딱한 말투로 짧게 질문을 하고 그에 대한 나의 대답이 길어질세라 서둘러 간호사에게 처방전을 건네므로 몇 가지 질문을 준비해 갔던 나의 머릿속을 하얗게 만드는 차가움…

우리나라의 의료 실정이나 의사라는 직업상의 이해를 모두 빼고 그냥 내게 정형화되어 있는 느낌이 그렇다는 것이다.

퇴근길에 지나는 주택 처마 밑에 제비집을 발견하고는, 어미가 새끼 제비를 키우는걸, 걱정 속에 여러 날 지켜보고 자작나무 숲을 걸으며 '산 허리에 두른 길'이라는 서정적인 표현을 쓰고 캐나다 여행에서 마주친 작은 다람쥐와 이름 모를 야생화를 카메라로 찰칵 찍는, 작가님의 직업 또한 의사다. 사진으로 풍광을 담고 글로 마음을 담아내는 의사라니…

[파푸스]의 글들을 읽으며, 마음 힘든 날 달려가 두서없이 얘기를 해도 들어주실 것 같고, 밑도 끝도 없는 수다를 떨어도 빙긋

웃으며 들어주실 것 같은 느낌이 들었는데, 이것은 작가님으로 인해 그동안 내 안에 자리했던 차가운 의사의 이미지가 흔들리고 있다는 것 아닐까?

나는 크리스천으로 성경 말씀에 크게 끄덕이고 감동할 때가 있다. 하지만 실생활에 적용하기는 쉽지 않아서 실컷 화나고 속상한 후에야 말씀을 찾고 주님으로 돌이킬 때가 많다

그렇지만 [파푸스] 글들에서는 생활 속에서 성경 말씀을 적용하므로 하나님을 체험하고 누리는 작가님의 모습들을 보았다. 하나님은 이렇듯 많은 것을 주시는 분인데, 내가 주님을 받아들이는 통로를 좁혀놓으니 하나님께서 들어오시기 힘드셨겠구나, 하는 깨달음이 왔다.

서문에서 작가님이 파푸스가 되어 하나님 말씀의 씨를 나르는 이가 되고 싶다고 하셨는데 성공하신 것 같다. 성경 말씀을 실생활과 접목해 써놓으셨기에 예전처럼 읽을 때의 감동으로만 그치지 않고 내 안에 살아있는 씨앗으로 잘 심어졌으리라.

세상을 살며 힘든 순간을 만날 때 가까이 두고 펼쳐보고 싶은 책을 써주신 작가님께 감사의 마음을 전합니다.

## 박성희, 진리의 말씀을 사랑하는 그리스도인

자신에게 소중하고 귀한 것은 두고두고 아끼는 것이 인지상정인데, 아껴 읽는 책도 있을까?

지난번 작가의 첫 번째 책인 뒤영벌을 읽으며 느꼈던 점이다. 한꺼번에 다 읽기에는 너무 아까웠다. 원래 책을 한 번에 오래 읽지를 못하는 성미인데 뒤영벌은 멈출 수가 없었다. 한 개 한 개의 스토리가 내 맘을 적시고 감동을 주기에 충분했다.

첫날 한 번에 100페이지를 읽어버리곤 '아 이렇게 한꺼번에 다 읽어버리면 아까워서 안 돼! 조금씩 읽어야 해'하며 책을 조심스레 덮으며 남은 이야기를 읽을 생각에 미소가 지어졌었다. 그 세월이 엊그제 같은데 두 번째 책 파푸스를 출간하실 준비를 한다고 하신다. 그 안에 또 얼마나 많은 작가의 살아있는 이야기가 담겨있을까! 이 어두운 시대에 한 줄기의 빛 같은 보배롭고 순수한 하나님의 말씀이 그 속에 어떻게 녹아있을까! 너무나도 설레는 마음으로 조심스레 노트북을 열어본다.

마흔이 훌쩍 넘어서야 자연의 아름다움을 진정으로 감상할 눈이 생겼다. 11월 말경이 되면 갑자기 찾아온 추위에 몸과 맘이 움츠러들고 감기나 안 걸리면 다행이라고 생각했다. 그러나 마흔이 넘어서면서부터 변해가는 계절이, 자연의 풍광이 너무나도 아름답더라! 우리나라가 사계절이라지만 나는 열두 계절이라고 하고 싶다. 다달이 계절이 다르고 풍경도 다르고 느낌도 다르다. 과거 내가 제일 힘들어했던 11월 말의 날씨가 이제는 바람에 흩날리며 떨어지는 노란 은행잎을 보며 얼마나 멋지고 아름다운지, 쟤들은 떨어지면서까지 우리의 눈을 호강하게 만든다고 생각하며 감사하게 된다.

이 책의 글들을 읽노라면 작가는 글 속에 나오는 동물이든 식물이든 자연 속 그들과의 교감이 느껴진다. 그럴 뿐 아니라 책 속에 나오는 장소에 나도 꼭 가보고 싶다는 생각이 들게 하는 묘한 것이 있다.

뒤영벌을 읽은 뒤에 나의 가고픈 곳 버킷리스트에 곰배령을 올렸는데
이번 파푸스에서는 야무지게도 캐나다가 되어버렸다. 모레인 호숫가 산책로 주변에 설치된 벤치에 앉아 따뜻한 커피에 풍경을 녹아 마셨다는 표현에 언젠가 꼭 가서 나도 그렇게 해보고 싶다는 생각이 들었는데 지금부터 그런 야심 찬 꿈(?)을 갖고 준비해 보리라!! 그러나 아무리 자연이 멋있고 우리의 맘을 설레게 한다고 하여도 그 안에 주님이 없다면 참으로 공허하리라!

고린도후서 4:4절 말씀에 **"이 시대의 신이 믿지 않는 사람들의 생각을 눈멀게 하여 하나님의 형상이신 그리스도의 영광의 복음의 빛이 그들에게 비치지 못하도록 하는 것입니다"**라는 말씀이 있다. 미개하든 높은 문화 수준을 가졌든 오늘날 거의 모든

사람이 이 시대의 신에 의해 눈멀어 있다. 사람들이 빛을 보지 못하도록, 하나님에 대하여 깨닫게 하지 못하도록 이 시대의 신은 많은 방법으로 우리를 속이고 있다. 그러나 아무리 어두워도, 아무리 눈을 가려도 한 줄기의 영광의 복음의 빛은 우리의 눈을 뜨게 하기에 충분하다. 이것이 하나님의 역사요, 그분의 능력이다.

이 책을 읽으면서 한 줄기의 빛을 보고 느낄 수 있어서 감사하다. 딸과 사위의 투병 과정과 지체들의 기도들을 읽을 때는 이렇게 어려운 환경을 통과하는 과정을 편하게 읽어도 되나 하는 생각까지 들었다. 딸이 겪었을 고통과 좌절 속에 여전히 부활 생명이신 주님을 의지하고 기도하는 것을 읽을 때 눈물을 흘리는 것밖에 내가 할 수 있는 게 없었으니까… 죄송할 따름이다.

이 책이 소중하고 편하고 귀한 이유는 때로는 인생의 근원을 만지게 하고, 때로는 작은 진리의 조각들을 깨닫게 하고, 글 하나하나에 주님의 말씀이 숨어있기 때문이다. 이번엔 어떤 말씀들이 숨어있을까 숨은그림찾기를 하듯 기대되고 설레며 읽게 된다.

이 시대에 방황하는 청년들, 아니 인생을 조금 더 살았지만, 여전히 붙잡고 있는 많은 것들로 인해 복잡하고 어지러운 중년들에게조차도 많은 도움이 되는 책이라 생각한다.

두 번째 책 파푸스의 출간을 진심으로 축하드리며, 추천의 글에 함께 참여하게 해주셔서 감사드린다. 오늘도 책 속의 표현처럼 저의 갈증을 해소해줄 하나님께 순간순간 로그인해 본다.

## 이혼, 현대빌딩관리소장

여보, 책 제목이 뭐야? 파푸스? '삼각형의 넓이를 중선과 세 변 사이의 관계를 통해 구하는 기하학 정리' 아내를 통해 그의 책 제목만 듣고 찾아본 단어의 뜻이다. 그의 처녀작 '뒤영벌'에 이어 나온 조금은 이타적이고 낯선 두 번째 담론의 제목이다.

며칠 후 돌아보니, 그 단어의 뜻은 다르나 그가 의도한 '파푸스'라는 씨의 깃털에 싸여 오래도록 내 가슴에 부유하며 절대자의 중선과 나와의 관계를 되뇌어 보게 되는 책이다. 책 속의 산책, 출퇴근, 학창 시절과 군대에서와 딸 아이와의 나들이, 여가의 모든 일상에서와같이 그에 대한 내 느낌은 그가 걷는다는 것이다. 마주하고 있을 때도 그는 걷고 있는 듯하다. 세상에 부유하는 양 그의 걸음은 '파푸스'에 싸여 주님과의 관계를 책 속에서와같이 담담히 풀어내어 보이는 만큼 보여주곤 한다.

내 집안은 숫자로는 삼 대를 넘어서는 믿음의 집안이나, 정작 이방인인 아내에게 복음의 씨를 보이고 심겨준 이는 의사와 간호사로 28년 전에 만난 그였다. 그랬을 것이다. 허공에 놓인 옅은 입술 웃음 사이로 물었을 것이다. '좀 어떠세요. 보이나요? 그와의…'

그가 책 속에서 풀어낸 **'우리의 모든 보이는 불완전함은 그(하**

**나님)와의 관계 맺기 위한 열쇠이다'**의 말과 같이 그의 행간 마다마다 나의 불완전한 열쇠를 꽂아보고 싶은 비결의 열쇠 구멍이 숨어있는 책이다. 권해 드리고 싶다. 책 속에 나오는 낯선 책 제목에 대한 상업적인 멘트를 날린 그 자가 나이다. 한 번 더, '형제님, 제목이 파푸스도 좋은데요. '밥 펐어?'로 하면 독자들의 손이 좀 더 많이 갈 것 같아요. 일상의 냄새도 나고..' 어릴 적부터 봐 오던 그의 큰딸 내외와 함께 바카의 눈물 골짜기를 통과하길 소원한다.

## 김영자, SRC병원 간호사

 작가와는 1995년 E병원에서 진료과장과 간호사로 처음 인연이 있었다.
혼자 있을 때, 진료실에서의 그의 인상은 평온한 가운데 이따금 '주~ 예수'라 노래 부르듯 흥얼거리며 기쁨으로 충전된 모습이 인상적이었다. 그동안 보아오던 주위의 교인과는 사뭇 다른 향기의 사람으로 느껴졌다.

 어느 날엔가, 그의 처음 인상과 같이 그가 믿는 신을 나도 알고 싶었고 성경을 같이 추구해 보자는 제안에, 나에 대한 목양이 시작되었다. 우리는 주 1회 창세기를 시작으로 요한복음도 추구하게 되었다(전공의 KHY. 폐기능실 KJE. 작가님과 저 4명이 시작). 이 모임에 타과 진료 과장님들도 한 분, 한 분 더해져 인원이 많아지게 되어 여러 그룹으로 나뉘어 목양 받던 생각이 난다.

 그때 성경을 추구하며 창조주로서의 하나님을 나의 하나님으로 만나게 되었고 일상의 체험과 누림이 되어 내게 심겨지게 되었다. 더불어 작가를 흥얼거리며 기쁘게 했던 그 비결을 나도 알게 된 듯하다.

 눈에 보이는 세계와 눈에 보이지 않지만 분명하고 신성하고 비밀한 세계를 알게 되면서 일주일 중 하루만이 아니라 나머지 6일도 성경 말씀으로부터 오는 안식과 기쁨을 누리고 싶어 교회를 찾아갔다. 그 후로, 한 번도 뒤돌아본 적 없이 하나님의 생명으로 난 이 길을 온 가족이 함께 가고 있다. 이제는 그때 성경을 추구했던 분들이 각처에 흩어져 자신들이 주님 안에 깊게 뿌리 내리고 누릴 뿐 아니라 각자 위치에서 같은 향기, 같은 생명의 씨앗을 심고 돌보는 일들을 하리라 생각된다.

 작가의 바람대로 '파푸스'와 같이 말씀의 씨가 높이 솟아올라, 어둡고 혼란스러운 세상에서 고단하게 방황하는 우리의 자녀들, 청년 세대들에게 전달되어 빛이 가득한 생명의 말씀으로부터 오는 안식과 만족의 기쁨을 체험하고 누릴 수 있도록 추천의 말씀을 드린다.

## 박선훈, 숭곡초 교장

저자인 이상무 형제님과 함께 교회 생활을 하여 알게 된 지도 엊그제 같은데 벌써 30여 년이 흘렀습니다. 지금은 교회도, 집도 멀리 떨어져 있고 자주 전화하거나 만나지는 않지만 언제든지 늘 곁에 있는 분같이 친근하게 느껴지는 분입니다.

저자는 결혼한 아내로 인하여 처음 하나님의 말씀을 알게 되었고, 진지한 그의 성격과 친절한 성품으로 인하여 복음을 처음 접하고 난 뒤 얼마 되지 않아서 그의 주변 사람들에게 복음을 전하였고 정말 많은 이들을 하나님 곁으로 오게 하였습니다. 실로 하나님은 신실한 이들을 도구로 하여 복음을 전한다는 것을 보게 하셨습니다.

이 책은 저자가 서문에서 고백하였듯이 이 책으로 전달하고자 하는 목적이 있습니다. 바로 민들레의 깃털(pappus)처럼 하나님 말씀의 씨를 퍼트리고 전달하고자 하는 것입니다.

때로는 퇴근길에 지나는 주택 처마 밑에 제비를 키우는 걸 보면서 하나님께서 어미 제비처럼 우리를 보호하시고 따뜻하게 감싸주시는 깊은 사랑을 느끼게 하고(3. 제비, 도시로 돌아오다, 4 제비, 출가하다), 사회적, 경제적으로 양극화되어 자기의 주장과 입장만 되풀이하여 사람들의 관계가 경직되어가는 이 시점에 우리의 관점을 하나님의 살아있는 생명 안의 관점으로 돌이킬 때 비로써 우리의 다름이 문제가 되지 않고 서로를 이해하여 우리를 하나로 만들고 보존되게 할 수 있다고 말하고 있습니다(8. 빠른가 느린가).

저자의 실제로 겪은 일들(37. 캄캄하고 무너져 내려도)은 마치 한 편의 다큐멘터리 영화를 보는 듯합니다. 그와 가족들이 겪은 어려움과 저자의 요청으로 기도에 함께 한 이들의 기도문을 시간대별로 기록하듯이 써내려 갖는데 이때 일어난 일들이 대략적으로 알고 있었던 저도 읽는 내내 가슴이 먹먹하였습니다. 이렇게 솔직하게 어쩌면 상세히 밝히고 싶지 않을 수도 있는 글을 쓴 이유도 저자가 밝혔듯이 "어두운 터널에 지금 막 진입하였거나 통화하고 있는 동료 믿는 이들을 위한 것이며 그들도 하나님의 의도를 알고 이에 따라 이 어두움의 터널에서 빠져나오도록 돕기 위함입니다."

저자의 바람대로 이 글들이 파푸스(pappus)가 되어 이 시대에 방황하고 있는 이들, 특히 젊은 세대에게 많이 읽히기를 바랍니다. 또한 읽는 이들 모두 포도나무이신 주 예수님의 가지들이 붙어만 있으면 많은 생명의 열매들을 맺듯이 이 글을 통하여 많은 이들이 주님의 안식과 평강의 열매들을 맺기를 바랍니다.

## 김동진, 그리스도 안에서 형제

 이 작가님을 통해 처음 알게 된 민들레의 파푸스 (pappus)에 대해 알게 되었습니다. 공기를 통해 저 멀리까지 비행하여 민들레의 씨앗을 뿌리는 파푸스 (씨앗을 실어 나르는 깃털)는 종족을 번식시키기 위한 정말 놀랍고도 기적적인 자연의 신비이며, 이것은 곧 하나님의 정하심이라고 느껴집니다.

 사실 살아있는 유기체의 자연에서 일상적으로 발생하는 모든 현상이 모두 신비로운 기적이며 놀랍고도 경이롭지 않은가요? 우린 지금 경이롭고 기적적인 환경 안에 살고 있으면서 별로 놀라지도 않고 너무나 평범하고 일상적으로 사는 것은 아닐까요? 우리가 하나님께 더는 또 무슨 기적을 요구할 수 있을까요? 많은 사람은 하나님께 더 많은 자극적인 기적을 원하고 있을지 모르지만 그들의 마음은 정작 굳어져 있어 정작 매일 순간마다 접하는 일상의 기적에 대해서는 별로 관심하고 있지 않은 것 같습니다.

 파푸스가 종족을 번식하기 위해 자그마한 기적을 일상적으로 수행하듯이, 작가님의 이 "파푸스"라는 책을 통해 자그마한 하나님의 생명의 기적이 이뤄지길 소망합니다. 민들레의 씨앗은 하나님의 생명 (살아계신 하나님의 말씀, 복음)이고 민들레의 갓털은 작가님의 책, "파푸스" (씨 뿌림, 복음전파)이며 씨앗을 저 멀리 이동시키는 공기는 우리의 삶의 현장처럼 느껴집니다.

평범하지만 장중한 삶의 현장에서 (공기) 일어나는 소소한 일화를 통해 말씀하시는 하나님, 하나님의 말씀을 신실하게 붙잡아, "파푸스"라는 책 (갓털)에 소개함으로써, 인생의 의미를 찾기 원하는 독자들 존재 안으로 하나님의 말씀 (씨앗)이 뿌려지고 뿌리를 내리며 자랄 수 있는 좋은 기회가 될 수 있다고 느껴집니다. 이 한 권의 책인 "파푸스"를 통해 누군가 하나님의 생명을 얻을 수 있게 된다면 이 또한 일생일대의 새롭고도 놀라운 기적이 아닐까요?

작가님의 "뒤영별"에 이어 "파푸스" 출간을 정말 축하드립니다.

사물에 대한 관찰과 통찰력에 놀라울 뿐 아니라 일상생활을 하나님의 말씀과 접목하여 우리 모두에게 하나님의 말씀을 이해하고 하나님을 얻을 수 있도록 이끌어 주셔서 감사드립니다.

아무쪼록 열려있는 독자분들에게 꾸준하고도 지속적으로 작은 기적들을 써 내려가기를 기원합니다. 감사합니다.

## 신상빈, 호주 브리즈번 자매

작년 7월 이상무 작가님께 손수 받은 첫 번째 에세이 [뒤영벌]을 집에 오자마자 단숨에 읽어 내려갔다. 단박에 읽어버린 책장들이 아쉬워 새벽까지 다시 포스트잇을 붙여가며 자를 대어 반듯한 줄을 치며 애써 느긋하게 읽고 나의 인생 후반부에 대한 생각을 기록해두었다. 찬란한 젊은이들에게 바치는 글이라 했지만 50을 바라보고 있는 마음만 젊은 내 가슴이 뛰고 뜨거워졌었다.

작가님의 반가운 두 번째 책 [파푸스]를 읽으며 작년에 작가님과 아내분과 또 호주의 형제자매님들과 걸었던 강가가 그려졌다. 빠르지도 느리지도 않은 발걸음으로 앞서거니 뒤서거니 하며 살아계신 하나님, 우리의 생명이 되시고 체험되신 하나님을 서로 나누었던 그때의 잔잔하고 따뜻한 느낌으로 작가님과 하나님과 함께 작은 여행을 하고 온 기분이었다.

서울시의 제비부터 미시령 고개를 넘을 때의 수많은 별, 캐나다의 많은 산과 호수, 또 이름 모를 야생화와 다람쥐 같은 위슬러스, 나에게 친근한 무게라 호수의 은하수까지 시간에 쫓기지 않고 누릴 것을 한참 보고 감상하며, 스테이크 맛과 추운 날 따뜻한 커피믹스의 달콤함과 온기까지 상상하며 다시 돌아가 더 보고 싶은 곳을 마음껏 보고 온 편한 여행 같았다.

책 후반부의 H 형제님과 S 자매님의 사연에서는 눈물이 멈추지 않았다. 그때의 아팠던 마음이 아직 생생하여 가슴 아리고 지체들의 끊임없던 기도들을 다시 읽으며 너무 큰 누림이 되었고 또 지금 회복하여 밝고 건강한 모습으로 하나님의 산 간증이 된 H 형제님과 어려운 터널을 통과한 S 자매님, 살아 계신 하나님의 사랑에 마음이 벅찼다. 우리를 얻기를 원하시고 정상적인 관계를 맺기를 원하시기에 허락하신 지난 눈물의 골짜기가 참으로 생명의 샘이 되어 우리 모두에게 솟는 샘이 되고 만족이 된 주님의 사랑에 감사하다.

하나님 말씀의 씨가 다른 이들의 마음에 떨어져 희망과 소망과 참된 삶의 의미를 깨닫게 해주고, 우주의 참된 실재를 맛보고 누리게 해주게 된다면 나는 글을 잘 쓴 것이라고 하신 작가님의 [파푸스]가 내게 단순한 파푸스가 아닌 따뜻한 온기와 향기로움까지 더해진 씨앗이 된 것처럼 글을 읽는 모든 이들에게 멀리멀리 퍼져가 생명과 빛이 될 것임을 믿는다.

책에서 누린 말씀으로 글을 마무리한다.

> 우리가 주목하는 것은 보이는 것들이 아니라, 보이지 않는 것들입니다. 보이는 것들은 잠시뿐이지만, 보이지 않는 것들은 영원하기 때문입니다. 고린도후서 4:18

## 이호택, 의사

　나는 소제목 '포도나무의 가지'에 소개되었던 생명의 흐름을 통해서 얻어졌던 여러 포도나무의 열매 중 한 사람이다. 어릴 때부터 신앙을 가졌었지만, 세상에 잃어버린 바 되었다가 주님의 긍휼로 다시 주님께 돌아오게 되었다. 그때 이상무 형제님 가정을 통해서 삶이 다시 하나님을 향하게 되었고 주님의 몸 된 교회를 찾게 되었다. 아내는 그를 '하나님을 믿는 바른 사람'이라고 소개했던 것 같다. 그리고 형제님 댁에서 아보카도를 밥이랑 김이랑 싸서 먹는 김밥을 처음 먹어보았고 그 부부께서 약간 음정이 왔다 갔다 하면서 불러주셨던 '이 땅의 유혹 버리고 주 위해 살 때에 누리는 부요한 풍성....부분과 완전을 바꾸는 거룩한 이 거래'라는 가사가 있는 찬송을 처음 들었다.

　이 글은 너무나 풍요로운 소재와 세밀한 느낌을 제공해 준다. 그러나 반면에 이 책은 너무나도 솔직하였고 자신의 생활에 대한 합리화나 미화가 거의 없다. 나는 이렇게까지 나 자신을 솔직하게 드러낼 수는 없을 것 같아서 읽는 내내 한 가지 의문을 가지게 되었다. '왜 이 책을 쓰셨을까?' 나중에 서문을 통해서 형제님의 절실한 마음을 조금 알게 되었는데, 이 글을 읽는 모든 사람이 인생의 풍랑과 격랑 속에서 하나님의 말씀이 참된 진리이고 하나님의 말씀이 필요하다고 말하고 싶었던 것 같다. 이를 통해 힘든 인생 속에서 참된 의미를 찾고 안위함을 얻고 마음에 참된 평온함을 얻게 되기를 간절히 바란다는 느낌이 들었다.

글 후반에 있는 형제님의 자녀에 관한 글은 형제님이 통과하셨던 힘든 삶의 한 과정에서 하나님이 어떻게 형제님 가정과 함께하셨는지에 대해서 자세히 알게 해 주셔서 너무나 감사한 마음이 들었다. 나의 고통보다 더 힘든 것이 자녀의 고통인 것은 모든 자녀를 가진 분들이 공감할 수 있을 것 같고 나에게도 이것은 사실이다. 그리고 그 자녀는 우리 가정과도 1년을 함께 살았었기 때문에 더 나의 자녀의 이야기와 같다. 형제님 가정이 통과하셨던 그 시간이 너무 고통스러울 것 같아 자세히 여쭤볼 수도 없었던 일이었다. 그 글을 통해서 알 수 있었던 것은 하나님을 온전히 신뢰하므로 나의 존재의 깊은 속에서 드리는 기도와 몸의 지체들을 위해 중보기도하고 돌보는 그리스도의 몸의 생활의 깊은 방면들에 관한 것이었다.

나 역시 하나님의 말씀이 진리라는 것을 매일매일 확인하는 과정에 있다고 말해야 할 것 같다. 언젠가 나도 형제님이 '하나님의 말씀이 천체 물리학 법칙보다 더 참되다'고 선언한 대로 똑같이 선언하고 싶다. 요한복음 1장 1절은 **'태초에 말씀이 계셨다. 말씀은 하나님과 함께 계셨으며 말씀은 곧 하나님이셨다.'**라고 말한다. 이 구절은 나에게 매우 귀하다. 왜냐하면 하나님 자신이 말씀이라고 명확하게 말하기 때문이다. 그리고 이 말씀이 육신이 되신 분이 그리스도이며 그리스도를 통해 우리는 구원을 받았고 지금도 말씀을 통해 매일 매일 하나님 자신의 생명을 우리에게 분배해 주신다. 형제님의 갈망대로 하나님의 말씀이 파푸스가 되어 널리 널리 날아가 이 책을 읽는 사람들이 하나님을 발견하고 하나님의 생명이 심어지기를 기도한다.

## 이은주, 직장인

 가벼운 에세이인 줄 알았다. 다음은 몇 장을 읽다 보니 일상에서 관찰하고 경험한 일들에 대한 지혜로운 안목을 느낄 수 있어서 힐링 도서인가 했다. 그러다가 캐나다 여행 편을 읽으며 꾹꾹 눌러두었던 여행병이 도지고 말았다. 분명 책을 읽었을 뿐인데 캐나다 여행 다큐를 본 것처럼 작가가 간 장소의 공기와 색깔을 온전히 느낄 수 있었다. 물론 실감이 나는 사진도 한몫했다. 호수를 찾아가면서 맞이하는 소박하고 따뜻한 이야기들 속에 나도 그 무리 중에 있는 듯한 흐뭇함을 느꼈다. 어느새 내가 갈 캐나다 여행경로를 책을 보며 정리하고 있다. 나는 루이스 호수는 밥 안 먹고 갈 거고 거기서 꼭 호숫물로 끓인 커피와 빵을 아무리 비싸도 먹으리라!

 시대 분별에 대해 이야기 하는 부분 중 성경에 흔히 회자되었던 장면들에 대한 뜬금없는 작가의 의문들, 예를 들어 예수님은 만명 정도 대상으로 며칠씩 강연일정을 뛰면서 왜 청중의 식사 문제를 미리 준비하지 않았을까? '도시락 지참' 같은 안내조차 없었다는 이 시선이 재미있으면서도 신선했다. 그리고 그 속에서 주님의 의도를 이야기하는 작가의 묵상은 깊은 깨달음을 주었다.

 점점 각박해져 가는 지금의 사회상을 담담하게, 그렇지만 예리하게 적어내려가며 그럼에도 우리가 가져야 할 생각과 마음들을 작가는 제안하고 있다. 바빠서, 귀찮아서, 원래 다들 그렇잖아 치부하며 넘겨버리려던 나의 정리되지 않는 생각과 마음이 이 글을 통해 다시 정돈되는 기분이 들었다.

강아지, 장례식장 등 갖가지 소재들을 이용한 글을 통해 지금의 나를 돌아보게 하고, 읽은 이로 하여금 현실의 벽, 주변의 빡빡함.. 그럼에도 불구하고 조금은 더 괜찮은 삶을 살고 싶은 내가 되고 싶게 한다.

사위의 병환과 그를 위한 중보기도 내용을 읽을 때는 좌절하고 절망할 곳으로 마음을 두기보다 이렇게 함께 기도하고, 함께 견디는 그 시간의 기록들을 보며 하나님이 이렇게 켜켜이 쌓여가는 중보기도를 받으시고 모른 채 하실 수가 없겠네 하는 생각이 들면서 함께 기도한다는 것의 소중함과 기도의 힘을 보는 시간이었다.

작가는 성직자가 아님에도 일상을 늘 하나님의 뜻을 구하고, 전하며 살아간다. 성경의 어떤 인물이 아닌 내가 아는 일반인 중에 이런 사람이 있다니 신기하고 감동이 되고 용기가 되었다.

작가는 일상의 모든 것을 통해 하나님을 느낄 수 있고, 배울 수 있고, 전할 수 있다고. 그리고 우리 모두 하나님 안에 살도록 늘 노력하자고 그게 이 세상에서 흔들리지 않고 살아가는 방법이라고 말하고 있는 것 같다.

# 파푸스

민들레 깃털처럼 삶의 여정에서
하나님의 말씀을 전하는 한 의사의 영성 에세이

발행일 | 2024년 5월 14일

지은이 | 이상무
펴낸이 | 마형민
기　획 | 임수안
편　집 | 신건희
펴낸곳 | (주)페스트북
주　소 | 경기도 안양시 안양판교로 20
홈페이지 | festbook.co.kr

* (주)페스트북은 '작가중심주의'를 고수합니다. 누구나 인생의 새로운 챕터를 쓰
도록 돕습니다. Creative@festbook.co.kr로 자신만의 목소리를 보내주세요.